하루에 하나씩
읽는 민법조문
물권(Ⅲ)

하루에 하나씩 읽는 민법조문 물권(III)

초판 _ 2024년 3월 2일

지은이 _ 김민석

디자인 _ **enbergen3@gmail.com**

펴낸이 _ 한건희

펴낸곳 _ 부크크

출판등록 _ 2014.07.15.(제2014-16호)

주소 _ 서울특별시 금천구 가산디지털1로 119 SK트윈타워 A동 305호

전화 _ 1670-8316

이메일 _ **info@bookk.co.kr**

홈페이지 _ **www.bookk.co.kr**

ISBN _ 979-11-410-7379-4

값은 표지에 있습니다.

하루에 **하나**씩
읽는 **민법조문**
물권 (Ⅲ)

Contents

Intro

머리말

청룡의 해가 밝았습니다.
지난해 「하루에 하나씩 읽는 민법조문」 민법총칙 편의 개정판을 작업한데 이어 올해 물권편도 개정판을 내게 되었습니다.
이번 개정판에서는 그간 아쉬웠던 부분들을 보강하고자 신경썼습니다. 먼저 가독성을 높이기 위해 원고를 대폭 편집했습니다. 디자인도 보다 깔끔하게 변경하였습니다. 불필요하다고 생각되는 설명은 삭제하였습니다. 반면 설명이 필요는 하지만, 본서의 기준으로 보았을 때 다소 복잡한 내용에 관해서는 별도로 〈심화학습〉 코너를 두어 다루었습니다. 무엇보다 독자들에게 오해를 불러일으킬 수 있었던 애매한 표현과 부적절한 설명을 여럿 수정하였습니다. 이 과정에서 책의 분량은 약간 증가하게 되었습니다만, 이전 원고보다 조금이라도 나아진 부분이 있다면 이것은 독자들이 양해하여 주지 않을까 하는 기대를 걸어 봅니다.
책이 나오기까지 우여곡절이 있었습니다. 많은 분들의 지원과 애정이 없었다면 이 작업은 끝내기 어려웠을 것입니다. 무엇보다 항상 곁에서 응원을 아끼지 않았던 아내와 가족에게 감사한 마음뿐입니다.
이 책이 누군가에게 좋은 기억으로 남기를 기원하며 말을 맺습니다.

2024년 2월 김민석 올림.

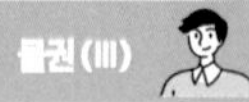

“하루에 하나씩 읽는
민법조문 물권편,
시작합니다.”

Part 3.

제3장, 소유권

第256條(부동산에의 부합)

부동산의 소유자는 그 부동산에 부합한 물건의 소유권을 취득한다. 그러나 타인의 권원에 의하여 부속된 것은 그러하지 아니하다.

오늘부터는 부합, 혼화, 가공이라는 개념을 하나씩 알아보게 될 것입니다. 은근히 현실에서 자주 사용되는 개념이기 때문에, 잘 알고 지나가면 좋습니다.

예를 들어, 철수는 자신의 땅을 영희에게 빌려주었는데, 영희는 거기에 사과나무를 한 그루 심었습니다. 그러면 그 사과나무의 소유권은 어떻게 되는 걸까요? 사과나무가 뿌리내린 땅의 소유자는 철수이니, 철수 것일까요? 그래도 심은 사람이 영희인데, 영희 소유인 걸까요?

한편 이런 경우도 있겠지요. 철수는 자신이 가진 고급 대리석을 김피그말리온이라는 유명한 조각가에게 건네주었고, 김피그말리온은 그 대리석으로 아주 아름다운 조각상을 만들었습니다. 그러면 그 조각상은 누구 것일까요? 최초에 대리석을 제공한 철수? 아니면 조각에 땀을 흘린 김피그말리온?

현실에서는 이처럼 여러 개의 물건이 결합하거나, 어떤 물건이 가공되는 등의 상황이 흔하게 나타납니다. 그리고 이런 경우에 소유권이 문제될 수가 있기 때문에 우리 민법은 부합, 혼화, 가공이라는 규

정을 두어 이를 규율하고 있습니다. 이러한 것들을 통칭하여 첨부(添附)(직역하면 '더하여 붙인다')라고 하기도 합니다.

결국 첨부 제도라는 것은, 어떤 물건에 타인의 다른 물건 또는 노력이 결합되어 사회관념상 그 분리가 불가능하거나, 분리에 과다한 비용이 드는 경우에는 그 결합된 물건을 어느 한 사람의 소유에 속하게 하는 제도를 말합니다(박동진, 2022).

자, 제256조는 첨부 제도 중 '부합'에 대해서 먼저 설명을 시작합니다. 부합이란, 소유자를 달리하는 여러 개의 물건이 결합하여, 이를 훼손하지 아니하면 그 분리가 사회관념상 불가능하거나, 아니면 그것을 분리하는 데에 너무 많은 비용을 요하는 경우 이를 사회통념상 하나의 물건으로 보아 특정인의 소유로 귀속시키는 것을 말합니다(박동진, 2022: 230면).

위의 첨부 제도와 개념 정의에서 좀 표현이 비슷한 부분이 많은데, 부합은 첨부라는 제도의 '일부'를 구성하고 있는 만큼 그 하위범주라고 할 수 있습니다. 첨부 중에서도 여러 물건의 결합에 관련된 것을 부합이라고 하는 것이지요. 천천히 읽어 보시면서 차이를 느껴보길 권합니다.

우리가 이미 공부했다시피 물건에는 부동산과 동산이 있고, 제256조는 그중 부동산에의 부합에 관하여 다루고 있습니다. 다만 제256조 제목에서 부동산'에의'라고 적어둔 것을 보면, 부동산에다가

물건이 달라붙는다는 것을 말하는 것이지 그 (달라붙는) 물건까지 부동산이어야 한다고 규정한 것은 아닙니다. 즉 제256조는 부동산에 동산이 부합하는 것, 부동산에 부동산이 부합하는 것을 모두 포함합니다.

*학설에서는 부동산에 부동산이 부합하는 것은 부적절하고 오직 동산만이 부합 가능하다는 견해도 있습니다만, 여기서는 일단 판례의 입장을 따라 부동산에 부동산이 부합되는 것이 가능하다는 쪽으로 서술하도록 하겠습니다.

이렇게만 하면 어려우니 예를 들어 보겠습니다. 철수는 건물을 하나 소유하고 있는데, 자신이 그 건물을 사용하지는 않고 영희에게 그 임대를 놓아 세를 받고 있었습니다. 그런데, 영희는 철수의 건물을 임차하여 사용하던 중 건물을 일부 증축하였습니다(이 과정에서 임대인인 철수의 동의도 받았다고 합시다). 그러면 이 증축한 부분은 누구의 소유인 것일까요?

철수가 소유한 기존의 건물과, 영희가 증축한 건물의 일부는 서로 찰싹 달라붙어 있어서, 서로 떼기도 어렵고 떼려면 거의 건물을 때려 부숴야 한다고 가정합시다. 이런 경우 '부합'의 법리가 적용될 수 있고, 서로 다른 부동산으로 보이는 것이지만 사회통념상 하나의 물건으로 볼 수 있는 것입니다.

즉 부합은 여러 개의 물건이 달라붙어 있는 경우 서로 떼어내기

어려운 등 요건을 갖추면 이를 1개의 물건으로 보는 개념으로, 1+1=1 이 되는 것입니다(김준호, 2017). 따라서 철수의 기존 건물과 영희가 증축한 건물은 서로 합쳐져 1개의 건물입니다.

그러면 문제는 이제 소유권이 누구 것인가 하는 것이지요. 제256조 본문은 부동산의 소유자는 부합한 물건의 소유권을 취득한다고 하고 있습니다. 그렇다면 제256조 본문에 따르면 원칙적으로 증축한 부분까지 철수(원래 부동산 소유자)가 가져가야 맞는 것입니다.

그런데 아직입니다. 예외가 있습니다. 바로 제256조 단서인데요, 타인의 권원에 의하여 '부속'(부합이 아니라 '부속'이라는 표현을 쓰고 있는 점에 주의하세요)된 경우에는 바로 그 타인이 부속한 물건의 소유권을 가져간다는 겁니다.

여기서 '권원'(權原)이란, 직역하자면 권리의 원천이라는 뜻으로, 민법에서는 제256조 단 한 군데에서만 등장하는 표현이지만, 법학에서는 널리 자주 사용되는 용어이므로 기억해 두실 필요는 있습니다. 권원이란 일정한 법률상 또는 사실상의 행위를 하는 것을 정당화시키는 원인이라는 뜻입니다.

예를 들어 위의 사례에서 영희는 (자기 소유가 아닌) 철수의 건물을 이용하고 있는데, 이러한 영희의 행위를 정당화시키는 것은 영희가 철수와 임대차 계약을 맺음으로써 임차권을 행사하고 있다는 점입니다. 즉, 철수의 건물을 사용하는 영희의 행위에 대한 권원은 그

녀의 임차권이라고 하겠습니다. 아직 공부하지는 않았지만 임차권뿐 아니라 추후 공부할 지상권, 전세권 등의 권리도 이러한 권원이 될 수 있습니다.

따라서 제256조 단서의 표현을 풀어쓰자면, "〈부속〉이라는 행위를 정당화시킬 수 있는 권리가 있는 사람이 물건을 부속시킨 경우에는 앞서 제256조 본문에서 얘기한 것에 대한 예외를 인정해 줄 거야. 반대로 부속을 시킨 사람에게 소유권을 인정해 준다는 거야."가 되는 겁니다.

그렇다면 '부속'이란 무엇이냐? 부합과는 어떤 차이가 있는 것인가? '부속'은 '부합'과 표현이 다른 만큼 의미도 다릅니다. 부합의 개념은 위에서 이야기했고, 부속이란 부동산에 붙은 물건이 사회관념상 독립된 것으로 인정되는 것을 전제하는 것입니다(김준호, 2017). 정리하자면 민법 제256조 단서에서의 '부속'은 그 결합 정도가 느슨하여 이를 쉽게 분리할 수 있는 것, 즉 비본질적 구성부분으로 된 것이라는 거지요(강태성, 2018). 조금은 단순한 표현이기는 하지만, 부합은 "아주 딱 달라붙어서 떼기도 힘든 것", 부속은 "부합만큼 딱 달라붙은 건 아니라서 독립성을 인정할 수 있는 것" 정도로 생각해 볼 수 있겠습니다.

*부합의 개념을 '강한 부합'과 '약한 부합'으로 나누어 하나는 제256조 본문에서의 '부합'을 강한 부합으로, 단서에서의 '부속'은 약한 부합을 의미한다고 보는 견해도 있습니다만, 여기서는 굳이 그런 부분까지는

설명하지 않겠습니다. 지금 단계에서는 그냥 제256조 본문의 예외가 어떤 경우에 인정될 수 있는지 정도만 이해하면 충분하다고 생각합니다. 상세한 부합의 개념과 '부속'과의 차이점에 대해 알고 싶은 분들은 명순구(2016)에 잘 정리되어 있으므로, 아래 참고문헌을 참고하여 읽어 보시면 좋을 것 같습니다.

결국 위 사례의 경우, 영희는 임대인의 동의도 받았고 임차권이라는 권원에 근거하여 건물을 증축하였기 때문에 일단 제256조 단서에 해당하는지 고민할 필요가 있습니다. 따라서 결론적으로는 영희가 새로이 가져다 붙인(?) 부분이 과연 독립성이 있는지, 없는지에 따라 판단될 것입니다. 만약 독립성이 없어 건물과 일체가 되었다고 판단되면, 그건 철수의 소유가 되겠지요.

이때 독립성의 판단 기준에 대하여 우리의 판례는 "건물이 증축된 경우에 증축 부분이 기존건물에 부합된 것으로 볼 것인가 아닌가 하는 점은 증축 부분이 기존건물에 부착된 물리적 구조뿐만 아니라, 그 용도와 기능의 면에서 기존건물과 독립한 경제적 효용을 가지고 거래상 별개의 소유권 객체가 될 수 있는지의 여부 및 증축하여 이를 소유하는 자의 의사 등을 종합하여 판단하여야 한다."라고 한 바 있으니 참고하시기 바랍니다(대법원 2002. 10. 25. 선고 2000다63110 판결).

그런데 이런 논의를 하다가 예전에 다음과 같은 질문을 받은 적이 있습니다.

"그러면 건물은 토지에 부합되어 있다고 할 수 있지 않을까요? 건물은 토지에서 쉽게 떼어내거나 할 수 있는 게 아니잖아요. 그러면 건물의 소유권은 항상 토지소유자에게 있는 건가요? 그럼 땅 위에 건물 지으면 무조건 땅 주인 것이 되는 건가요?"

그게 (상식적으로 당연하겠지만) 대답은 No 입니다. 논리적으로는 왠지 그렇게 되어야 할 것 같다고 생각하실 수는 있습니다만, 우리의 법제는 건물과 토지를 아예 별개의 부동산으로 다루고 있으므로 건물의 소유권과 토지의 소유권은 얼마든지 서로 다른 사람에게 귀속할 수 있습니다. 따라서 누가 남의 땅에 마음대로 설령 건물을 짓는다고 해도, 그 건물이 자동으로 땅 주인의 소유가 되는 것은 아닙니다. 여기서는 '부합' 이론이 적용되지 않으므로, 건물은 건물 지은 사람 소유가 됩니다.

"남의 땅에 허락도 없이 건물을 지었는데, 무슨 소리입니까?" 이렇게 생각하실 수도 있겠지만, 소유권이 땅 주인에게 바로 귀속되지 않는다고 했지 남의 땅에 마음대로 건물 지은 게 잘한 짓이라고 한 건 아닙니다.

땅 주인은 소유권에 기한 반환청구권이나 방해제거청구권을 행사하여 건물의 철거를 요구할 수 있습니다. 소유권은 소유권의 문제고, 건물 철거는 또 다른 문제니까요. 서로 나누어서 생각하여야 합니다.

지금까지 부합에 대하여 천천히 살펴보았는데요, 부합의 이론에 있어서는 빠지지 않고 논의되는 것이 있어 여기서도 간단히 언급하고 넘어갈까 합니다. 바로 농작물과 수목(樹木)의 문제인데요, 우리의 판례는 농작물과 수목은 좀 다르게 판단하고 있습니다.

농작물(고추, 마늘, 벼 같은 것)의 경우에는 (막 싹이 돋아난 정도가 아닌) 어느 정도 성숙한 농작물의 경우에는 부합의 이론을 적용하지 않고 있습니다. 그래서 "적법한 경작권 없이 타인의 토지를 경작하였더라도 그 경작한 입도가 성숙하여 독립한 물건으로서의 존재를 갖추었으면 입도의 소유권은 경작자에게 귀속한다."라고 하여 심지어 권원이 없는 경우에조차 농작물을 심고 경작한 사람(경작자)의 소유권을 인정해 주고 있습니다.

남의 땅에 맘대로 농사짓고 농작물은 내 것이라니 무슨 소리냐, 이러실 수 있겠지만 농작물의 소유권이 경작자에게 있다는 것이지 땅 주인이 손해배상청구 등 다른 법적 수단까지 쓸 수 없다는 것은 아니기 때문에, 땅 소유자도 여전히 여러 조치를 취할 수 있다는 점은 기억해 두실 필요가 있습니다. 다만 이러한 판례의 태도에 비판하는 학자들도 많으므로, 더 심도 있게 공부하고자 하는 분들은 따로 검색하여 보시길 추천드립니다.

한편, 수목의 경우에는 농작물과 달리 판례는 제256조를 적용하

고 있습니다. 판례의 사례를 조금 단순화해서 예로 들어 보겠습니다. 나부자는 자신이 소유한 땅을 옆집에 사는 최임차에게 빌려주고 세를 받고 있었습니다. 그런데 하루는 최임차와 친하게 지내던 동생 김나무가 찾아와, "나는 평생을 나무 사랑을 신조로 삼고 살아왔다. 보니까 형님이 빌려 쓰는 땅이 너무 양지바른 곳이라, 내가 좋아하는 사철나무 한 그루를 심고 싶다." 이렇게 말합니다. 최임차는 그러라고 했습니다.

그런데 나부자는 어느 날 자기 땅을 지나가던 도중 못 보던 사철나무가 자기 땅에 심어져 있는 것을 보았습니다. 화가 납니다. 최임차에게 전화해 왜 자기에게 말도 안 하고 나무를 심었냐고 따집니다. 최임차는 자기가 심은 게 아니라 아는 동생인 김나무가 심은 것이라 말합니다. 이에 화가 난 나부자는 그 나무를 뽑아 팔아버렸습니다.

이런 경우에 법률관계는 어떻게 될까요? 먼저 나무사랑이 지극한 김나무에게는 안타까운 일이지만, 만약 나무가 뿌리를 잘 내려 토지와 [부합]하고 있는 경우라면 민법 제256조가 적용되므로 사철나무의 소유권은 땅 소유자인 나부자에게 돌아가게 됩니다.

제256조 단서를 주장하려고 해 보아도, 땅 소유자도 아닌 '임차인'에게 허락을 받았다는 이유만으로 '권원'을 인정할 수는 없으므로 단서 적용이 안됩니다. 결국 나부자는 자기 소유물을 자기가 뽑아낸 것이므로 김나무에게 손해배상을 해줄 필요가 없게 됩니다. 다

만, 부당이득이 성립할 가능성은 있겠습니다만 아직 부당이득에 대해서는 살펴보지 않았으므로, 이 부분은 추후에 부당이득 파트를 공부한 후 다시 생각해 보시기 바랍니다.

판례 역시 "민법 제256조는 부동산의 소유자는 그 부동산에 부합한 물건의 소유권을 취득한다. 그러나 타인의 권원에 의하여 부속된 것은 그러하지 아니한다라고 규정하고 있는데 위 규정단서에서 말하는 「권원」이라 함은 지상권, 전세권, 임차권 등과 같이 타인의 부동산에 자기의 동산을 부속시켜서 그 부동산을 이용할 수 있는 권리를 뜻한다 할 것이므로 그와 같은 권원이 없는 자가 토지소유자의 승낙을 받음이 없이 그 임차인의 승낙만을 받아 그 부동산 위에 나무를 심었다면 특별한 사정이 없는 한 토지소유자에 대하여 그 나무의 소유권을 주장할 수 없다고 하여야 할 것이다. 그런데도 원심이 원고가 이 사건 토지의 전소유자로부터 승낙을 받음이 없이 그 토지를 임차한 소외 ㅇㅇㅇ의 승낙만을 받아 그 위에 이 사건 사철나무 1그루를 심은 사실을 확정하고서도 그 나무가 위 토지에서 분리되어 원고의 소유로 된 특별한 사정에 대하여는 심리판단함이 없이 그 나무가 위 토지의 소유권과는 독립하여 별개의 소유권의 대상이 된다는 이유만으로 그 후 위 부동산을 취득하여 위 나무를 벌채한 피고에게 그로 인한 불법행위 책임이 있다고 판단한 것은 민법 제256조가 정하는 부동산에의 부합에 관한 법리를 오해하여 심리를 다하지 아니함으로써 판결결과에 영향을 미쳤다고 할 것이다."라고 하여 유사한 입장입니다(대법원 1989. 7. 11. 선고 88다카9067 판결).

오늘은 부합의 이론에 대하여 맛을 보았습니다. 설명할 부분이 많다 보니 다소 분량이 길어지게 되었습니다만, 중요한 부분이 많으므로 천천히 읽어 보시기를 추천드립니다. 내일은 동산 간의 부합에 관하여 공부하도록 하겠습니다.

[심화학습]

여기서부터는 그냥 심심하신 분들만 읽어 보시면 되겠습니다. 현 시점에서는 꼭 기억하고 지나가야 하는 부분은 아니라서, 참고만 해도 되는 내용입니다.

민법 제256조를 보다 보면 좀 이상한 부분이 있습니다. 저 역시도 공부하면서 이상하게 생각했던 부분인데요, 제256조의 논리 구조를 가상의 대화로 상상해서 써보면 이렇습니다.

①"부동산에 다른 물건이 붙었는가?" → "그렇다."
②"그렇다면 그 붙은 정도가 훼손하지 않으면 분리할 수 없거나 분리에 과다한 비용이 들어가는 정도인가?" → "그렇다."
③"그렇다면 판례에 따를 때 그건 [부합]이다. 제256조 본문에 따르면 부동산 소유자가 합쳐진 물건의 소유자가 되어야 한다. 다만, 제256조 단서의 예외에 해당하는지를 살펴보아야지. 혹시 그것이 타인의 권원에 의하여 부속된 것인가?" → "그렇다."
④"그러면 그건 단서에 해당하는군. 따라서 추가된 부분에 해당하는 소유권은, 이를 부속시킨 사람에게 돌아가게 되겠군."

문제는 이것입니다. 분명히 처음에는 그 붙은 정도가 훼손하지 않으면 분리할 수 없거나 분리에 과다한 비용이 들어가는 정도라고 했지요. 그러면 그 말인즉슨 원칙적으로 물건을 붙인 사람에게 떼어서 줄 수가 없다는 얘기입니다. 이미 하나의 물건이 되어 버렸는데, 어떻게 또 일부분의 소유권만을 붙인 사람에게 준다는 것일까요?

이건 논리적인 문제가 있습니다. 만약, 분리할 수 있는 수준의 '붙임'이었다고 해버리면, 그건 "처음부터 부합에 해당하지 않았던 것"이므로 제256조 본문을 적용할 필요가 없게 됩니다. 반면 방금처럼 분리할 수 없는 수준의 '붙임'이라고 해버리면 제256조 단서의 예외가 현실적으로 적용될 수 있는지가 문제입니다. 논리적인 악순환이 발생하게 되는 것입니다.

왜 이런 문제가 생길까요? 왜냐하면 부합이란 각각 별개인 복수의 물건이 결합하여 훼손하지 않으면 분리할 수 없거나 분리에 과다한 비용을 요하는 상태 '그 자체'로 보아야 하기 때문입니다. 가령 부동산에 동산이 결합되어 훼손하지 않으면 분리할 수 없거나 분리에 과다한 비용을 요하는 상태가 되었다면 그것으로 이미 부합이 일어난 것으로 보아야 할 것입니다. 그런데 부합의 개념적 특질상 "부합의 요건을 갖추고 있기는 하지만 부합이 인정되지 않는 경우란 존재할 수 없다"는 것입니다(명순구, 2016: 69면).

이런 해석상의 문제에 대해서 당연히 기존의 학자들도 인식하고 있었고, 그에 따라 다양한 해석론이 나왔습니다. 대략 서술하자면 다음과 같은 것들인데요,

① "제256조 단서에서 '부합'이라고 하지 않고 '부속'이라고 말하고 있는 점에 초점을 맞추어야 한다. 단서에서 말하는 것은 [부속]인

데, 여기서 말하는 '부속'은 약한 의미의 부합 정도로 생각하면 된다. 그러니까 '부합'에는 강한 부합과 약한 부합이 있는 거고, 제256조 본문은 강한 부합을, 단서는 약한 부합(부속)을 다루고 있는 거지. 약한 부합이 이루어진 경우에는 서로 별개의 물건이라고 볼 수 있으니까, 독립된 소유권으로 떼어서 단서에 따라 그 물건을 붙인 사람에게 줄 수도 있는 거지."

② "애초에 민법 제256조는 충분한 검토 없이 이루어진 입법으로서, 부합의 개념에 충실하고자 하면 본문과 단서의 관계가 깨지고, 본문과 단서의 관계에 충실하고자 하면 부합의 개념이 깨지는 딜레마 상황에 빠져 있는 것이지. 입법론적 시각에서 제256조 단서는 삭제되는게 맞아." (명순구, 2016: 68-77면).

③ "만약 부합한 물건이 독립한 물건으로 인정될 수 있으면, 권원의 유무와 관계없이 그 부합물의 소유권은 부합한 사람에게 속하는 것이다. 그러기에 '강한 부합'이 일반적 의미의 부합이고 '약한 부합'은 부합이라고 볼 수 없을 것이다. 이와 같은 제256조의 본문과의 관계에서 '무의미한' 제256조의 단서를 굳이 의미 있게 하기 위해서는 [권원자에 의해 부동산에 부속된 물건이 훼손하지 아니하면 분리할 수 없거나 그 분리에 과다한 비용을 요할 정도로 그 부동산과 물리적으로 강하게 결합하고 있기는 하지만 독자적인 공시방법을 갖추면 별개의 권리의 객체로 될 수 있는 경우에 그 부속물의 소유자의 소유권이 그대로 유지될 수 있다고 해석]함이 가장 적합할 듯

하다."(곽시호, 2019)

위와 같이 다양한 견해가 있습니다. 물론, 세 번째 견해도 궁극적으로는 두 번째 견해와 같이 제256조 단서를 삭제하자는 주장이기는 합니다. 어떤 견해가 더 타당할까요? 제256조 단서는 정말 삭제되어야 하는 규정일까요? 답은 정해져 있지 않습니다만, 참고문헌을 보시고, 한번 심심할 때 생각해 보시면 좋을 듯합니다.

*참고문헌

곽시호, "민법상 부동산의 부합 -인정범위와 기준을 중심으로-", 「법과 정책」 제25권 제1호, 2019, 39면.

강태성, "민법 제314조와 제316조에 대한 검토 및 개정안", 「법과 정책연구」 제18권 제2호, 2018, 497면.

김준호, 「민법강의(제23판)」, 법문사, 2017, 639면.

박동진, 「물권법강의(제2판)」, 법문사, 2022, 227면.

명순구, "민법 제256조 단서에 관한 해석과 입법에 관한 비판", 「법학연구」 제26권제3호, 2016, 69-71면.

제257조(동산간의 부합)

동산과 동산이 부합하여 훼손하지 아니하면 분리할 수 없거나 그 분리에 과다한 비용을 요할 경우에는 그 합성물의 소유권은 주된 동산의 소유자에게 속한다. 부합한 동산의 주종을 구별할 수 없는 때에는 동산의 소유자는 부합당시의 가액의 비율로 합성물을 공유한다.

어제 우리는 부동산에의 부합에 관하여 공부하였습니다. 오늘은 '동산과 동산' 간의 부합에 대해서 알아보겠습니다. 부합의 원리 자체는 어제 공부한 것과 비슷합니다. 다만 어제 공부한 제256조와 비교하면 약간 '표현'이 다르기는 합니다. 제256조에서는 그냥 '부합한 물건'이라고 쓰여 있는데, 제257조에서는 '부합하여 훼손하지 아니하면 분리할 수 없거나 그 분리에 과다한 비용을 요할 경우'라고 친절하게 써놨습니다.

이런 표현의 차이에 대해서 부동산에의 부합(제256조)과 동산 간의 부합(제257조)의 요건이 다른 것이 아니냐, 이런 의문이 들 수도 있는데, 우리의 학설은 그렇게까지 따지지는 않고 있습니다. 즉, 제256조에 명시적으로 써놓은 것은 아니지만 부동산에의 부합도 역시 "훼손하지 아니하면 분리할 수 없거나 분리에 과다한 비용을 요하는 경우"여야 한다고 보는 것이지요(김준호, 2017).

*다만, 이와 같은 동산의 부합 요건을 충족시키는 사례는 현대에 이르러 줄어들고 있다는 지적도 있습니다. 현대의 대량생산의 결과, 최소

한 공산품의 경우에는 대부분 그 부품의 교환이 매우 쉬운 것이 보통이므로, 부합이 성립할 여지가 적다는 것이지요(김진우, 2019).

어쨌거나 제257조에서 정하고 있는 것처럼 동산끼리 부합한 경우에는 그 합체(?)된 물건의 소유권은 주된 동산의 소유자에게 돌아가게 됩니다. 그런데 주된 동산이라니 그게 대체 무슨 의미인지 이해가 잘 안 갑니다. 예를 들어 보겠습니다.

철수는 고급 컴퓨터를 1대 갖고 있습니다. 그런데 영희가 철수의 컴퓨터를 보니까 뭔가 모니터가 좀 밋밋한 겁니다. 그래서 영희는 모니터 화면이 LED 마냥 빛나게 되는 특수한 필름을 가져다 붙였습니다.

그런데 이 필름은 모니터에서 쉽게 제거할 수 없고, 제거하려면 아예 컴퓨터를 부숴 버려야 할 정도라고 합시다. 그러면 제257조 본문에서 말하는 부합이 되었다고 할 수 있겠지요. 이 경우 '주된 동산'은 철수의 컴퓨터라고 할 수 있을 것이고, 따라서 필름이 부착된 컴퓨터의 소유권은 철수에게 있다고 보는 것입니다.

우리의 판례는 "선박소유자 아닌 사람이 구입하여 선박에 비치한 나침판과 쌍안경은 이를 선박으로부터 분리함에 있어 훼손이나 비용을 요하지 아니하면, 민법상의 부합의 원리에 따라 그 소유권이 선박소유자에게 귀속된다고 볼 수 없다."라고 하여, 선박에 있는 나침반과 쌍안경 같은 것은 선박에서 쉽게 떼어낼 수 있는 것이므로 부합이 인정되지 않는다고 본 바 있습니다(대법원 1980. 3. 25. 선고 79도3139 판결).

그런데 위 판례에서의 사건과 같이 선박과 나침반 같은 경우에는 어떤 것이 '주된' 것이고 어떤 것이 주된 것이 아닌지 판단하기가 쉽지만, 그렇지 않은 경우도 얼마든지 현실에는 있을 수 있습니다. 거래가액이 거의 비슷한 물건 A, B끼리 합쳐지는 경우가 그렇겠지요. 이런 경우 도대체 무엇이 '주'이고, 무엇이 '종'인 걸까요? 판단하는 기준은 뭘까요?

그래서 제257조 단서에서는 부합한 동산의 주종을 구별할 수 없는 때에는 동산의 소유자는 부합 당시의 가액의 비율로 합성물을 공유한다고 하고 있는 것입니다. 예를 들어 물건 A와 B가 가격이 거의 비슷하다면, 두 사람이 서로 합성물(부합의 결과물)을 1:1로 나누어 공동 소유하면 되는 것입니다.

"도대체 주종의 구별 기준이 뭔데?" 이렇게 불평하실 수도 있습니다. 학설은 주종의 구별이라는 게 칼같이 딱 나눌 수 있는 기준이 있는 것은 아니고, 그렇다고 우리가 총칙에서 이미 공부한 주물-종물의 관념과 꼭 일치하는 것도 아니며, 물건의 성질이나 가격에 비추어 거래 관념에 따라 판단하여야 한다고 합니다(김진우, 2011).

오늘은 동산의 부합에 대하여 공부하였습니다. 내일은 부합의 다음에 나오는 이론인 '혼화'에 대하여 알아보도록 하겠습니다.

*참고문헌

김준호, 「민법강의(제23판)」, 법문사, 2017, 638면.

김용덕 편집대표, 「주석민법 물권1(제5판)」, 한국사법행정학회, 2019, 997-998면(김진우).

김용담 편집대표, 「주석민법 물권1(제4판)」, 한국사법행정학회, 2011, 861면(김진우).

제258조(혼화)

전조의 규정은 동산과 동산이 혼화하여 식별할 수 없는 경우에 준용한다.

혼화(混和), 생소한 단어가 나옵니다. 현실에서 잘 쓰는 용어가 아니어서 낯설기는 합니다. 이 단어는 '섞일 혼'에 '화할 화'의 한자를 씁니다. 즉, 직역하자면 서로 뒤섞여 합쳐지는 것을 말합니다. 법학에서는, 소유자가 서로 다른 동산끼리 서로 섞여 쉽게 식별할 수 없게 되는 것을 말합니다.

예를 들어 보겠습니다. 철수는 자신이 소유한 쌀을 주머니에 넣어두었는데, 거기에 영희가 자신이 소유한 쌀을 들이부었습니다. 결국 두 사람의 쌀이 섞이게 된 것인데, 어느 쌀알(?)이 철수 것이고 어느 쌀알이 영희 것인지 구별할 수가 없을 것입니다. 쌀알마다 사람 이름을 써둔 것도 아니니까요. 이러한 경우에는 '혼화'가 일어났다고 보며, 제258조는 제257조의 규정을 준용하도록 하고 있습니다. 이러한 사례는 술 같은 액체가 서로 섞인 경우에도 적용할 수 있겠지요.

사실 (소유자가 서로 다른) 동산끼리 서로 합쳐져 훼손하지 않고는 분리가 불가능하거나 분리에 과다한 비용이 드는 경우(동산 간의 부합)와, 동산끼리 서로 섞여 식별이 안 되는 경우(혼화)는 서로 좀 의미가 다르기는 합니다. 하지만 두 개념 모두 여러 개의 '동산'이

모여 1개의 물건이 된다는 점에서 공통점이 있기 때문에, 제258조는 제257조를 준용하도록 하고 있는 것입니다. 즉, '혼화'는 본질적으로 동산부합의 일종이므로 그 성립기준 역시 제257조에 따른 부합의 성립기준에 준하는 것으로 보아야 한다는 것입니다(김진우, 2019).

결국 혼화의 경우 (제257조에서와 마찬가지로) 주종을 따질 수 있을 때(식별할 수 있을 때)에는 주된 물건의 소유자가 혼화에 따른 합성물의 소유권을 취득하게 될 것이고, 주종을 따질 수 없을 때에는 혼화가 일어날 당시의 가액의 비율로 혼화물을 공유(함께 소유)하게 될 것입니다. 논리 자체는 어제 공부한 동산 간의 부합과 유사하므로 서로 비교하면서 읽어 보시면 되겠습니다.

오늘은 혼화의 개념을 알아보았고요, 내일은 첨부의 3가지 개념 중 마지막 개념인 '가공'에 대하여 공부하도록 하겠습니다.

*참고문헌

김용덕 편집대표, 「주석민법 물권1(제5판)」, 한국사법행정학회, 2019, 999면(김진우).

제259조(가공)

①타인의 동산에 가공한 때에는 그 물건의 소유권은 원재료의 소유자에게 속한다. 그러나 가공으로 인한 가액의 증가가 원재료의 가액보다 현저히 다액인 때에는 가공자의 소유로 한다.
②가공자가 재료의 일부를 제공하였을 때에는 그 가액은 전항의 증가액에 가산한다.

오늘은 가공(加工)에 대하여 알아보겠습니다. 흔히 일상에서도, "내가 이걸 가공해서 만들었다" 이런 식으로 가공이라는 단어를 씁니다. 법학에서 가공이란, 다른 사람의 동산에 인간의 노력을 가미하여 새로운 물건을 만들어내는 행위를 말합니다. 제259조를 보면 알겠지만 '동산'에 한정하고 있으므로, 가공의 법리는 부동산에는 적용되지 않습니다.

제259조제1항 본문은, 다른 사람이 소유한 동산 A를 가지고, 그것을 가공하여(이때 가공을 하는 사람, 가공자가 약간의 재료를 첨가하는 것도 가능합니다) 새로운 물건 B를 만들어낸 경우에는 물건의 소유권은 원재료(동산 A)의 소유자에게 있다고 합니다. 이를 원재료에 초점을 맞추고 있다고 하여 재료주의라고 합니다(반대로 가공자가 가져가는 게 원칙이라면, 가공주의가 되겠지요).

예를 들어 철수가 소유하고 있는 원석이 있는데, 길을 가다가 원석을 본 빼어난 보석 세공 기술자, 영희가 (갑자기 예술혼이 치솟아서) 그 원석을 가공하여 다이아몬드를 만들었다고 합시다. 그렇다면 제259조제1항 본문에 따라 원칙적으로 다이아의 소유권은 철수에게 있게 되는 것입니다.

그런데 예외도 발생할 수 있습니다. 영희가 이렇게 주장하는 거죠. "이 원석은 내가 다듬기 전에는 고작 2만 원에 불과한 것이었다. 그러나 내가 세공함으로써 가치가 2억 원이 된 것이다."

사실 현실적으로는 그런 싸구려 원석이 최고급 다이아가 될 리 없습니다만, 여기서는 이 말이 사실이라고 합시다. 그렇다고 가정하면 영희 입장에서는 많이 억울할 수 있습니다.

그래서 제259조제1항 단서에서는, 가공으로 인한 가액의 증가가 원재료(사례의 경우 원석)의 가치보다도 현저히 많을 때에는 가공한 사람(영희)의 소유라고 하고 있는 것입니다. 물론, 가공으로 인해 값어치가 현저하게 뛰었다는 것은 소송에서 영희가 입증하여야 할 겁니다.

사실 현실에서는 이런 철수-영희의 문제가 발생할 일은 거의 없을 겁니다. 애초에 원석을 가진 소유자가 세공사에게 의뢰를 할 때 계약을 맺을 것이고, 그 계약사항에는 가공의 결과로 만들어진 물건은 소유자가 가져가고 대신 수고비를 세공사에게 주는 것으로 되어 있을 것이기 때문입니다(영희 같은 뛰어난 세공사라면 당연히 인건비도 비쌀 것입니다). 예를 들어 고용계약이나 근로계약 등에 의해서 가공이 이루어진 경우라면, 가공이 얼마나 잘 되었건 간에 그 물건은 사용자의 소유가 되는 것입니다(김진우, 2019).

제2항을 봅시다. 위의 사례에서 영희가 원석을 가공하는데, 거기에 필요한 연마제라든가, 윤활유 같은 것은 영희가 제공하였다고 해봅시다. 영희 입장에서는 자신의 노력뿐 아니라 실제로 비용도 좀 들어간 셈이지요. 그래서 제259조제2항에서는, 가공자가 제공한 재료의 가액도 가공으로 인한 가액의 증가액에 가산하도록 하고 있습니다.

오늘까지 해서 우리는 '첨부'에 관한 3가지 개념을 모두 살펴보았습니다. 내일은 지금까지 배운 내용을 바탕으로, 첨부의 효과에 대해 공부하도록 하겠습니다.

*참고문헌

김용덕 편집대표, 「주석민법 물권1(제5판)」, 한국사법행정학회, 2019, 1004-1005면(김진우).

제260조(첨부의 효과)

①전4조의 규정에 의하여 동산의 소유권이 소멸한 때에는 그 동산을 목적으로 한 다른 권리도 소멸한다.
②동산의 소유자가 합성물, 혼화물 또는 가공물의 단독소유자가 된 때에는 전항의 권리는 합성물, 혼화물 또는 가공물에 존속하고 그 공유자가 된 때에는 그 지분에 존속한다.

오늘 조문은 다소 난해합니다. 하나씩 살펴보도록 하겠습니다. 제1항은 앞선 4개의 규정(부동산에의 부합, 동산 간의 부합, 혼화, 가공)에 따라서 동산의 소유권이 소멸하게 된 경우, 그 동산을 목적으로 한 다른 권리도 소멸한다고 합니다. 이게 도대체 무슨 말일까요?

예를 들어 보겠습니다. 철수는 연구 끝에 성능을 극도로 개선한 뛰어난 보일러를 개발하여 만들었습니다. 그런데 연구에 너무 돈을 많이 쓴 나머지, 철수는 생활이 궁핍해졌습니다. 생계가 어려워진 철수는 자신이 만든 보일러를 들고 옆집의 나부자를 찾아갑니다.

"여기 제가 만든 보일러가 있습니다. 아주 끝내주는 건데요, 사시지 않겠습니까?" 그러자 나부자는 이렇게 말합니다. "이미 쓰는 보일러가 있어서 새 보일러는 필요가 없고요, 돈이 급하시다니 일단 이렇게 합시다. 제가 돈을 빌려 드릴게요. 1년 뒤까지 갚으십시오. 대신 그때까지 이 보일러의 소유권은 제가 가지겠습니다. 만약 돈을 갚으시면, 보일러의 소유권을 돌려드리겠습니다. 그런데 지하실에

딱히 보관할 공간도 없으니, 소유권만 제가 가지고 있는 것으로 하고 보일러는 당신이 가지고 계시는 걸로 하죠."

이것은 단순하기는 하지만 소위 동산양도담보라고 불리는 것으로, 민법에 명시적으로 언급되어 있는 개념은 아닙니다만 실생활에서 자주 사용되는 제도로서 판례에 의하여 인정된 소위 비전형 담보물권입니다(부동산양도담보의 경우 별도로 규율하는 법이 있습니다).

보시면 돈을 빌려주는 사람(채권자)이 동산의 소유권을 일단 가져가고, 목적이 되는 물건 자체는 점유개정(기억이 안 나시면 제189조를 복습하길 추천드립니다)의 방식으로 철수(돈을 빌린 사람)이 직접점유하는 시스템이라는 것을 알 수 있습니다.

이런 제도가 운영되는 이유는, 채권자 입장에서는 (나중에 배울 동산질권에 비하여) 채무자가 돈을 갚지 않을 경우 법원의 개입 없이 임의로 물건을 처분하여 채권을 회수할 수 있다는 장점이 있기 때문입니다(류창호, 2007). 오늘은 양도담보에 대해서 공부하는 것은 아니므로 그냥 이런 제도가 있겠거니 하고 지나가시면 됩니다.

어쨌거나 결국 철수는 용케 돈을 빌렸고, 행복해하면서 보일러를 다시 가지고 집으로 돌아옵니다. 그런데, 돈을 펑펑 써버린 철수는 다시 돈이 급해졌고, 마침 옆 동네의 영희가 보일러가 필요하다고 하자 그녀에게 보일러를 팔아 버립니다. 문제는 철수가 영희네 집에 가서 보일러 설치까지 해줘 버린 것입니다.

이렇게 된 경우 보일러가 영희의 집에 부합되게 되고, 제256조에 따라 영희(부동산의 소유자)는 보일러(그 부동산에 부합한 물건)의 소유권을 취득하게 되어 버립니다. 그 결과 제260조제1항에 따라 보일러의 소유권과, 그 보일러를 목적으로 하는 권리가 소멸하여 버리게 되고, 나부자가 가지고 있던 권리가 모두 없어지게 되어 버립니다. 나부자 입장에서는 분노할 만한 일이기는 합니다.

제256조(부동산에의 부합) 부동산의 소유자는 그 부동산에 부합한 물건의 소유권을 취득한다. 그러나 타인의 권원에 의하여 부속된 것은 그러하지 아니하다.

제260조제2항은 무슨 뜻일까요? a라는 물건이 있다고 해봅시다. a는 A라는 사람의 소유입니다. A는 K라는 사람에게 돈을 빌리고, a라는 물건을 대신 담보 잡혔습니다(K에게 담보물권 존재) 그런데 a는 b라는 물건(소유자 B)을 만나 '부합'되었고, 그 결과 c라는 물건이 되었습니다(합성물, a+b=c). 이때 b보다 a가 더 '주된 동산'이어서, 제257조에 따라 a의 주인이었던 A가 c의 소유권을 갖게 되었다고 가정합시다.

이러한 경우 제260조제2항에 따르면, a라는 물건에 걸려 있었던 K의 권리(담보물권)도 c에 존속한다는 것입니다. 만약 c라는 물건

의 소유가 A와 B의 공유이고 A가 60%를 차지하고 있다면, K의 권리도 60%라는 지분에 존속한다는 것이 제2항의 의미입니다.

오늘은 첨부로 인한 법적인 효과에 대해 알아보았습니다. 그런데 여기까지 공부하면, 한 가지 의문이 생길 수 있습니다. 위의 사례에서 나부자의 입장이 너무 안타깝다는 겁니다. 기껏 돈도 빌려줬더니, 채무자가 물건을 함부로 처분해 버린 거잖아요. 그래서 이런 문제점들을 규율하기 위해 민법은 다른 조문을 두고 있습니다. 바로 내일 공부할 제261조입니다.

*참고문헌

류창호, 「담보제도의 선진화를 위한 법제연구(2)-기업담보법제를 중심으로-」, 한국법제연구원, 2007, 37면.

제261조(첨부로 인한 구상권)

전5조의 경우에 손해를 받은 자는 부당이득에 관한 규정에 의하여 보상을 청구할 수 있다.

우리는 지금까지 첨부(부합, 혼화, 가공)에 대하여 공부하였는데, 이러한 논리에 의하면 억울한 사람이 발생할 소지가 있습니다. 어제 공부한 사례에서의 나부자도 그렇고, 어쨌거나 첨부의 논리는 여러 개의 물건이 합쳐져 탄생한 하나의 물건에 대해 소유권을 결정하는 것이니까 '소유권을 얻지 못하게 된 사람'은 억울할 수도 있는 것입니다.

예를 들어, 철수가 자신이 만든 술 한 병을 들고 가다가 실수로 넘어져서 엎질렀는데, 다름 아닌 영희의 술독에 빠뜨렸다고 합시다. 철수의 술과 영희의 술은 섞여 버려 '혼화'가 일어난 겁니다.

그런데 영희의 술이 주된 것이어서 섞인 술(혼화물)의 소유권은 영희에게 가게 되었는데, 이러면 철수는 억울할 수가 있다는 거죠. 자기 잘못이라면 돌에 걸려 넘어진 것밖에 없는데, 귀한 술을 잃어버리게 된 겁니다.

이와 같은 경우 제261조는 손해를 받은 자로 하여금 보상을 청구할 수 있도록 하고 있습니다. 그리고 보상청구에 있어서는 부당이득에 관한 규정에 따르도록 하고 있으므로, 민법 제741조 이하의 규

정에 의하여 추가로 부당이득의 요건까지 충족하였을 때 보상을 받을 수 있게 됩니다.

제741조(부당이득의 내용) 법률상 원인없이 타인의 재산 또는 노무로 인하여 이익을 얻고 이로 인하여 타인에게 손해를 가한 자는 그 이익을 반환하여야 한다.

판례 역시, "민법 제261조에서 첨부로 법률규정에 의한 소유권 취득(민법 제256조 내지 제260조)이 인정된 경우에 "손해를 받은 자는 부당이득에 관한 규정에 의하여 보상을 청구할 수 있다"라고 규정하고 있는바, 이러한 보상청구가 인정되기 위해서는 민법 제261조 자체의 요건만이 아니라, 부당이득 법리에 따른 판단에 의하여 부당이득의 요건이 모두 충족되었음이 인정되어야 한다."라고 하여 부당이득반환의 요건을 충족하여야 제261조에 따른 보상청구권을 행사할 수 있다는 입장입니다(대법원 2009. 9. 24. 선고 2009다15602 판결). 여기서는 부당이득의 이론을 자세히 보지는 않고, 위 제741조를 읽어 보는 정도로만 하고 지나가도록 하겠습니다.

어쨌건 제261조는 제256조부터 제260조까지의 5개 조문(부동산에의 부합, 동산 간의 부합, 혼화, 가공, 첨부의 효과)에 의해서 손해를 받은 사람을 구제해 줄 수 있도록 하고 있습니다. 위의 사례에서는 소유권자인 영희에 대해 살펴보았지만, 소유권이 소멸하게 되는 옛 물건 위에 권리를 갖고 있던 제3자도 구제가 가능합니다. 제3

자의 권리가 담보물권이었던 경우 물상대위(제342조, 나중에 공부함)에 따라 보상금 위에 권리가 존속하며, 용익물권이라면 위에서 본 제261조와 제741조에 따라 부당이득을 돌려받을 수 있는 것이지요(박동진, 2022). 아직은 물상대위나 부당이득을 상세히 공부하지 않았으므로, 추후 해당 파트를 본 뒤에 다시 한번 읽어 보시기 바랍니다.

우리의 민법이 최대한 여러 사람의 이해관계를 공평하게 조율하기 위해 많은 조문을 두고 있다는 점, 기억해 두시면 좋겠습니다.

이제 드디어 첨부에 관한 조문을 마치고, 내일부터 공동소유에 관한 제3절로 들어갑니다.

*참고문헌

박동진, 「물권법강의(제2판)」, 법문사, 2022, 227면.

"여러 명이 물건을 소유하면
어떻게 될까요?
다음 장부터 알아보겠습니다."

Part 3.

제3장, 소유권
제3절, 공동소유

제262조(물건의 공유)

①물건이 지분에 의하여 수인의 소유로 된 때에는 공유로 한다.
②공유자의 지분은 균등한 것으로 추정한다.

오늘부터는 물권편 제3장 소유권 파트의 마지막, 제3절 '공동소유'에 대하여 알아보도록 하겠습니다. 공동소유라는 단어 자체는 당장 이해하기에 어렵지 않습니다. 한 사람이 아닌 여러 사람이 물건을 소유한다는 것인데, 다만 민법에서는 이러한 '공동소유'를 3가지의 유형으로 나누어 설명합니다. 그것이 바로 공유, 합유, 총유의 개념인데, 오늘 공부할 것은 그중 '공유'입니다. 우선 3가지 유형을 간단하게 살펴봅시다.

공유(共有)란, 여러 사람이 서로 인적 결합관계가 없이, 하나의 물건에 대해서 지분에 따라 각기 독립적으로 소유하는 것을 말합니다. 흔히 아파트를 부부가 공동명의로 한다고 말하지요? 그것이 바로 공유의 사례입니다. 공유는 지분에 따라 하는 것으로, 부부가 아파트를 1:1의 지분으로 할 수도 있지만 합의하기에 따라서는 4:6이나 3:7로 하는 것도 가능하겠지요.

"아니, 부부가 어떻게 서로 인적 결합관계가 없다고 할 수 있습니까?" 이렇게 의아해하실 수도 있는데, 여기서 말하는 인적 결합관계라는 게 두 사람의 뜨거운 사랑이나 혼인관계, 혹은 얼마나 친한지를 의미하는 것이 아닙니다. 다음 개념인 '합유'를 보시면 좀 더 이해가 쉬울 거예요.

합유(合有)란 공유와 총유의 중간 정도에 있는 개념으로서, 여러 사람이 서로 인적 결합관계를 가지고, 그 인적 결합체인 조합체로서 물건을 소유하는 형태를 말합니다. 공유는 개인적 색채가 강한 것인데, 합유는 공동목적을 위하여 어느 정도 개인적인 입장이 제한되고 있다는 점에서 차이가 있다고 합니다(한국법제연구원). 조합이란 여러 사람이 모여서 공동의 사업을 하기로 하는 인적인 결합체로서, 조합계약을 통하여 만들어지는 것입니다.

예를 들어, 철수와 영희는 서로 전혀 모르는 사이였는데, 우연히 길에서 만나 대화하던 중 서로 요리에 일가견이 있다는 것을 알고 같이 음식점을 운영해 보기로 합니다. 일종의 동업계약인 건데요, 이렇게 철수-영희가 합의하여 만들어진 동업체가 바로 '조합'이라고 할 수 있습니다.

철수와 영희는 요식업이라는 공동사업을 하기로 하였고, 사람과 사람이 만나 결합체를 이루었으므로 조합인 것이고, 부부는 서로 사랑과 혼인신고로 이루어진 관계이지 동업을 하자고 만든 결합체는 아니기 때문에 '조합'이 아닌 것입니다. 철수와 영희는 서로 전혀 모르는 사이였지만, 동업을 하기로 했기 때문에 조합을 이루는 데에는 전혀 문제가 없습니다.

이러한 조합은 우리가 〈민법 총칙〉 편에서 다루었던 법인과는 전

혀 다른 것입니다.

"사단법인이나 조합이나 비슷한 것 아닌가요?" 이렇게 생각하실 수도 있는데, 전혀 다릅니다. 사단법인은 우리가 〈총칙〉에서 공부한 바와 같이 엄격한 절차를 거쳐 성립하는 것입니다. 정관도 작성해야 하고, 창립총회도 하고, 주무관청으로부터 설립허가를 받아 설립등기까지 하여야 합니다.

그러나 조합은 '조합계약'을 통하여 성립하는 것으로, 조합을 구성하는 조합원들은 공동의 목적으로 결합되어 있습니다. 민법에서는 제703조와 같이 아예 따로 규정을 둡니다. 사단법인과 달리 조합은 법인격도 인정이 안됩니다. 서로 계약만 해서 법인격까지 인정받을 수 있으면 누가 돈 쓰고 시간 써서 설립허가받고 등기하고... 사단법인 차리겠습니까. 참고로, 우리가 신문에서 보는 '노동조합'이나 '농업협동조합' 같은 것은 이름에 조합이 들어가긴 했는데 여기서 말하는 의미의 조합은 아니니 조심하시기 바랍니다.

제703조(조합의 의의) ①조합은 2인 이상이 상호출자하여 공동사업을 경영할 것을 약정함으로써 그 효력이 생긴다.
②전항의 출자는 금전 기타 재산 또는 노무로 할 수 있다.

어쨌거나 '합유'란 바로 이러한 조합체를 통하여 여러 사람이 물건을 소유하는 관계를 말합니다. 철수와 영희가 운영하는 업체에서

프라이팬, 조리시설, 수저나 냉장고를 소유하게 될 건데, 이러한 물건은 동업자인 철수와 영희가 합유하는 것으로 본다는 것입니다. 합유의 구체적인 특징은 나중에 곧 공부하도록 하겠습니다.

마지막으로 총유(總有)란, 법인 아닌 사단의 사원이 집합체로서 물건을 소유하는 형태를 말합니다. 법인 아닌 사단에 대하여는 우리가 〈민법총칙〉에서 공부하였는데요, 기억이 잘 안 나시는 분들은 법인 편을 한번 복습하고 오셔도 좋겠습니다. 총유의 예를 들자면 '종중'이 재산을 가지고 있는 것을 생각해 볼 수 있습니다.

어디선가 '종중'이라는 말 들어 보셨을 겁니다. 뭐 어디 어디 김씨 무슨 문파 종중, 이런 거 말입니다. 종중이라는 게 선조를 모시기 위해서 사람들이 모여서 제사도 지내고, 묘가 있는 땅도 관리하고, 그런 것인데요.

이런 종중은 위에서 본 철수-영희의 요식업과는 달리 무슨 공동사업을 하자고 조합계약을 맺은 것도 아니고, 종중의 일원이 각자 1/n 씩 종중 재산을 지분으로 나눠서 갖는 것도 아닙니다. 결국 공유도 합유도 아니고, 또 다른 제3의 유형인데 이걸 '총유'라고 부르는 것입니다.

이러한 총유 제도는 공유나 합유 제도가 거의 대부분의 근대 민법전에서 발견되는 것과 달리 현재 세계적으로 각국의 민법에서는 찾아보기 힘든 독특한 제도라고 하는데요(오소정, 2019), 자세한 내

용은 추후 총유에 관한 파트에서 말씀드리도록 하겠습니다.

이제 제262조로 돌아가 다시 읽어 보면, 제1항에서는 물건이 '지분'에 따라 여러 사람의 소유로 된 경우에는 공유로 한다고 하여, 우리가 알아본 공유의 개념을 명시하고 있습니다.

참고로 우리가 이미 공부한 공유의 사례도 있습니다. 먼저, 경계에 설치된 경계표, 담, 구거 등은 상린자의 공유로 추정한다고 살펴보았던 적이 있지요(제239조).

또, 동산의 부합되거나 혼화되었을 때 만약 어떤 것이 주된 것이고 어떤 것이 종된 것인지 구별하기 어려울 때에는 동산의 소유자는 부합 당시의 가액의 비율로 합성물(혼화물)을 공유한다고 했던 것을 기억하실 겁니다(제257조, 제258조).

그리고 우리가 매장물에 대해 공부할 때, 매장물은 법률에 정한 바에 의하여 공고한 후 1년 내에 그 소유자가 권리를 주장하지 아니하면 발견자가 그 소유권을 취득하지만, 예외적으로 타인의 토지 등으로부터 발견한 매장물은 그 토지 등의 물건 소유자와 발견자가 절반씩 갖는 것으로 했던 것을 기억하실 겁니다(제254조 단서). 바로 이런 경우에도 공유관계가 성립하게 되는 것입니다. 우리가 공부했던 것과 비교하여 이해하시면 '공유'의 개념이 더 와 닿을 거예요.

제2항은 공유자의 지분을 균등한 것으로 추정한다고 하는데, 이건 무슨 말일까요? 원래 공유의 특성상 당사자 간에 합의를 하면 지분을 3:7로 할지, 4:6으로 할지 얼마든지 정할 수 있습니다. 그러나 사람이 항상 모든 것을 꼼꼼하게 정하지는 않기 때문에, 사안에 따라서는 지분을 얼마로 정했는지가 애매할 수도 있지요. 그런 경우에는 공평하게 1:1로 보겠다는 것입니다. 2명이면 1/2, 3명이면 1/3이 되겠지요. 사실 현실에서는 (특히 부동산 같은 경우) 지분등기를 하여야 하고, 또 지분이란 것 자체가 워낙 중요하다 보니 그걸 까먹고 안 정하는 경우는 드물기는 합니다.

오늘은 '공동소유'의 3가지 유형인 공유, 합유, 총유에 대해 간단히 알아보고 공유에 대해서 살펴보았습니다. 그럼 내일부터는 공유의 구체적인 특징에 대해서 하나씩 보도록 하겠습니다.

*참고문헌

오소정, "공동소유의 법리에 관한 연구-합유를 중심으로", 「비교사법」제26권 제4호, 2019, 360면.

한국법제연구원 법령용어사전,

http://www.klri.re.kr/kor/business/bizLawDicKeyword.do, 2024. 1. 4. 확인.

第263조(공유지분의 처분과 공유물의 사용, 수익)

공유자는 그 지분을 처분할 수 있고 공유물 전부를 지분의 비율로 사용, 수익할 수 있다.

어제 우리는 공유의 개념에 대해 간단히 알아보았습니다. 물건을 (인적 결합관계가 없는) 여러 사람이 지분에 따라 소유하는 것을 공유라고 한다고 하였습니다. 이러한 정의에 의하면, 공유자는 지분에 의하여 물건을 소유하게 됩니다. 예를 들자면 다음 부동산 등기를 확인해 볼까요? 이건 가상의 아파트를 상정하여 만든 것입니다. 편의상 30평형대 아파트라고 생각해 보죠. 아래는 가상으로 상상하여 작성한 등기의 모습입니다.

【갑 구】 소유권에 관한 사항				
순위 번호	등기목적	접수	등기원인	권리자 및 기타사항
1 (전1)	소유권 이전	2024년 6월 1일 제122호	2024년 5월 12일 매매	공유자 지분 2분의 1 철수 720724-******* 서울시 영등포구 A동 지분 2분의 1 영희

				741104-******* 군산시 미룡동 B아파트

이 30평 아파트의 경우, 공유자는 2명으로, 철수와 영희가 각각 50%씩 지분을 소유하고 있는 것입니다. 위 등기에서 [권리자 및 기타사항]에 보면 공유자인 철수와 영희의 이름, 그리고 지분이 나와 있지요.

참고로 '지분'이란 소유권을 나눠 행사할 수 있도록 비율을 정한 것입니다. 대법원은 이에 대하여, "공유자의 권리는 그 토지의 각 부분 및 전부에 미친다 할지라도 여러 사람이 공동하여 소유권을 보유하는 결과로서 그 소유권행사의 비율을 정할 필요가 있고, 이 비율을 가리켜서 지분이라고 말하는 바"라고 하여, 지분의 개념을 설명하고 있습니다(대법원 1970. 12. 29. 선고 70다2337 판결).

한 가지 주의할 것은 이런 경우라고 해서 철수와 영희가 각각 소유권을 1개씩 갖고 있는 것은 아니라는 점입니다. 이 아파트에 대한 '소유권'은 여전히 1개인데, 다만 그 1개의 소유권을 철수와 영희가 절반의 비율로 나누어 갖고 있을 뿐입니다(이른바 양적 분할설). 통설은 소유권이 2개인 것은 아니라고 봅니다.

*주의할 것은, 공유의 개념에 대하여 위의 학설(양적 분할설; 1개의 소

유권이 분량적으로 분할되어 여러 사람에게 속한다는 견해)이 통설이기는 하지만, 이에 반대하는 학설도 있다는 것입니다. 이른바 다수 소유권 경합설에서는, 여러 사람이 1개의 물건 위에 각자 1개의 소유권을 갖고 있으며, 각 소유자는 일정비율에 따라 제한을 받고 그 내용의 총화가 독립한 1개의 소유권의 내용과 같은 상태라고 주장하기도 합니다(송덕수, 2022). 통설이 타당한지, 소수설이 타당한지는 참고문헌을 읽고 스스로 판단해 보시기 바랍니다.

판례 역시 "민법 제263조는 이러한 소유권의 권능이 공유지분권에도 마찬가지로 존재하되, 공유관계에서는 1개의 소유권이 여러 공유자에게 나누어 귀속됨에 따라 각 공유자는 다른 공유자의 사용·수익권을 침해하면 안 된다는 제약이 따른다는 것을 뜻할 뿐이다"라고 하여, 같은 입장입니다(대법원 2020. 5. 21. 선고 2018다287522 전원합의체 판결).

*판례(대법원 1965. 11. 9. 선고 65다1646 판결)가 다수소유권 경합설의 입장을 취한 적도 있다는 지적도 있습니다(송덕수, 2022; 최준규, 2019).

그런데 이 시점에서 궁금한 것이 생깁니다. 예를 들어 이 아파트는 철수가 지분 절반을 갖고 있는데, 그러면 철수의 지분은 도대체 '어디서 어디까지'를 의미하는 걸까요? 예를 들어 주방과 거실까지를 철수의 것이라고 하면 될까요? 아니면 침실부터 화장실까지? 만약 주방과 거실이라고 하면, 철수는 침실에 들어가기 전에 영희의 허락을 받아야 하는 것일까요?

그렇지 않습니다. 결론부터 말씀드리자면, 철수는 물론 영희도 아파트의 50%만 쓸 수 있는 것이 아니라 아파트 전체를 쓸 수 있습니다. 철수는 거실에서 TV도 볼 수 있고, 침실에서 잠도 잘 수 있고, 화장실에서 볼 일도 처리할 수 있습니다. 영희도 마찬가지입니다. 그래서 제263조에서는 공유자는 "공유물 전부"를 사용·수익 할 수 있다고 표현하고 있는 겁니다.

"제263조에서는 공유물 전부라고는 하고 있는데, 또 [지분의 비율]로 사용·수익 할 수 있다고 하고 있는데요? 논리적으로 표현이 모순 아닌가요?"

이렇게 생각하실 수 있습니다. 표현이 헷갈리는 것은 사실입니다만, 이 문장은 이런 의미입니다. 바로 공유자는 공유물 전체를 사용, 수익 할 수 있지만, 다만 그 사용 및 수익이 지분에 의하여 제약이 된다는 뜻입니다(최준규, 2019: 26면).

즉 철수는 위 아파트의 공유자로서 아파트 전체를 사용, 수익 할 수 있지만, 그 아파트를 혼자서 사용하려고 영희를 쫓아낼 수는 없습니다. 왜냐하면 영희 역시 50%의 지분을 가진 공유자로서, '공유물 전체'를 지분의 비율로 사용·수익 할 수 있는 권리가 있기 때문입니다.

우리의 판례 역시 "공유자들 사이에 공유물 관리에 관한 결정이 없는 경우 공유자가 다른 공유자를 배제하고 공유물을 독점적으로 점유·사용하는 것은 위법하여 허용되지 않지만, 다른 공유자의 사용·수익권을 침해하지 않는 방법으로, 즉 비독점적인 형태로 공유물 전부를 다른 공유자와 함께 점유·사용하는 것은 자신의 지분권에 기초한 것으로 적법하다."라고 하고 있습니다(대법원 2020. 5. 21. 선고 2018다287522 전원합의체 판결).

따라서, 철수가 영희와 같이 살면서 아파트 전체를 사용하는 것은 허용됩니다. 또, 철수가 1년 중 6개월 동안 혼자 아파트 전체를 사용하고, 나머지 6개월은 영희가 혼자 아파트 전체를 사용하기로 하는 것도 (둘 사이에 합의만 있다면) 얼마든지 가능합니다. 어쨌건 아파트 면적의 절반 부분에 선을 그어 두고, 철수가 그 선을 벗어나면 경찰이 출동해서 체포하는 것은 아니라는 겁니다. 결국 구체적인 사용방법은 공유자들끼리 내부적으로 정하면 되겠지요.

*다만, 학설과 판례에 의하여 인정되는 공유관계 중에 '구분소유적 공유'라는 개념이 있습니다. 민법에는 명시되어 있지 않습니다. 통상적인 공유와 달리 공유자들이 각자 특정된 부분을 배타적으로 사용·수익하는 관계인데요. 여기서는 해당 개념을 자세히 다루지는 않을 예정이니, 관심 있는 분들은 따로 인터넷에 검색하여 보시기 바랍니다.

또한, 철수와 영희는 서로 합의해서 아파트를 다른 사람에게 세를 놓을 수도 있습니다. 다만, 거기서 발생하는 임대료는 일종의 법정과실로서(과실의 개념에 대하여는 민법 제101조 부분 참조), 두 사람이 함께 공유하여야 합니다. 그렇지 않게 되면 법적인 문제가 발생합니다.

우리의 판례는 "부동산의 1/7 지분 소유권자가 타공유자의 동의 없이 그 부동산을 타에 임대하여 임대차보증금을 수령하였다면, 이로 인한 수익 중 자신의 지분을 초과하는 부분에 대하여는 법률상 원인없이 취득한 부당이득이 되어 이를 반환할 의무가 있고, 또한 위 무단임대행위는 다른 공유지분권자의 사용, 수익을 침해한 불법행위가 성립되어 그 손해를 배상할 의무가 있다"라고 하여(대법원 1991. 9. 24. 선고 91다23639 판결), 공유자 중 1명이 자기 마음대로 부동산을 남에게 빌려주어 수익을 내버린 경우 그 수익 중 자기 지분을 초과하는 부분에 대해서는 다른 공유자들에게 부당이득으로 돌려주고, 손해가 있는 경우 배상도 하여야 한다고 봅니다. 이제 '공유물 전부'를 사용·수익 할 수 있지만 그 지분에 따라 제한을 받는다는 말이 이해가 가시지요?

자, 아파트의 공유자인 철수와 영희는 함께 아파트를 매입하여 서로 50%씩 지분을 갖고 있는 상황입니다. 그런데 이런 경우를 상정해 봅시다. 영희는 아파트를 전세로 놓아 보증금을 받고 싶어 하는데, 철수는 월세를 놓고 싶어 합니다. 서로 의견이 안 맞아 다툼이 생겼습니다. 생각해보니 철수는 영희가 하는 짓도 얄밉고 항상 자기 의견만 내세워서, 앞으로 별로 얼굴 보고 싶지가 않아졌습니다. 그럼 철수는 어떻게 하면 되는 것일까요?

가장 쉬운 방법 중 하나는 철수가 자기 지분을 남에게 팔아 버리는 것입니다. 예를 들어 철수가 자신의 지분을 나부자에게 팔아 버리는 경우, 이제 새로운 공유자는 나부자가 되고, 따라서 영희의 사업 파트너(?)도 나부자가 되는 것입니다. 제263조에서 "공유자는 그 지분을 처분할 수 있고"라고 표현한 것이 바로 그런 의미입니다.

어쨌건 철수가 자기 지분을 팔아 치우는데 영희의 동의가 필요하거나 한 것이 아니니, 철수는 자유롭게 영희와 Bye Bye 할 수 있습니다. 그리고 당연한 이야기지만 철수는 자기 지분만 팔 수 있고, 영희의 지분에는 손 못 댑니다. 영희가 "누구 마음대로 공유지분을 넘겨? 들어올 땐 마음대로지만 나갈 땐 아니야!"라고 하면서 화를 내도 소용없습니다. 이건 철수의 지분을 파는 것은 철수의 자유입니다.

*참고로 '처분'이란 물건을 다른 사람에게 팔거나 담보로 제공하는 등의 행위를 말하는 것입니다. 우리는 이미 민법 제211조 부분에서 공부한 바 있습니다.

오늘은 공유자가 자신의 지분을 가지고 무엇을 할 수 있는지 알아보았습니다. '공유물 전부'를 지분의 비율로 사용·수익 한다는 말의 의미를 꼭 이해하시길 바랍니다.

오늘 내용에 대해서는 자기 지분에 대해 지상권, 전세권 등 용익물권을 설정하는 것이 가능한지의 논의도 있는데, 이 부분은 추후에 용익물권에 관한 내용을 공부한 후 다시 한번 살펴보기로 하고 일단은 지나가도록 하겠습니다.

내일은 공유물의 처분 및 변경에 대하여 공부하겠습니다.

*참고문헌

김용덕 편집대표, 「주석민법 물권2(제5판)」, 한국사법행정학회, 2019, 8-9면(최준규).

송덕수, 「신민법강의(제15판)」(전자책), 박영사, 2022, 543-544면.

제264조(공유물의 처분, 변경)

공유자는 다른 공유자의 동의없이 공유물을 처분하거나 변경하지 못한다.

오늘은 '공유물'의 처분과 변경에 관한 내용입니다. 어제 우리가 공부하기를, 공유자는 그 '공유지분'을 자유롭게 처분할 수 있다고 하였습니다. 그런데 조심할 것은 제264조에 따르면 '공유물'은 마음대로 처분하여서는 안된다는 겁니다. 그리고 변경도 마음대로 해서는 안됩니다.

즉, 공유에서 지분의 처분과 공유물의 처분은 전혀 별개입니다. 지분은 마음대로 처분할 수 있지만 공유물은 공유자 전원의 동의가 필요한 것입니다(최준규, 2019).

'처분'이란, 전에 공부했던 대로 물건을 양도하거나(다른 사람에게 팔거나) 그 물건에 대해서 담보물권과 같은 다른 물권을 설정하는 등의 행위를 말합니다.

공유지분이야 공유자 자신의 것이니까, 마음대로 처분하는 것이 사실 어찌 보면 자연스럽다고도 할 수 있습니다만, '공유물' 전체는 공유자 혼자서 마음대로 처분해서는 안될 것입니다.

그래서 제264조는 '다른 공유자의 동의 없이' 함부로 공유물 전체를 처분하지 못하도록 하고 있는 것이고, 어느 정도 상식 선에서

도 납득이 가는 측면이 있다고 하겠습니다.

'변경'이란, 물건에 대해서 사실상의 물리적인 변화를 가하는 것입니다. 앞서 처분과 비교하자면, 사실상의 변경 외에 법률상의 변경이 바로 처분을 의미한다고 하겠습니다(최준규, 2019: 37면). 어쨌거나 이 부분도 위의 처분의 사례에서와 마찬가지로 공유자 혼자서 마음대로 변경을 가하게 내버려 둘 수는 없는 노릇입니다.

그러면 만약에 공유자 중 1인이 마음대로 공유물을 제3자에게 팔아 버린다면 어떻게 될까요? 얼핏 생각하면 당연히 매매계약이 무효가 되어야 할 것 같지만, 꼭 그렇지는 않습니다. 생각해 보겠습니다.

어제 공부한 바에 따르면 공유 '지분'은 공유자가 마음대로 처분할 수 있습니다. 따라서 어떤 공유자가 다른 공유자의 동의 없이 공유물 '전체'를 팔아넘겼다고 하더라도, 최소한 전체 중에서 자신의 지분에 해당하는 부분만큼은 스스로의 권리를 제대로 행사한 것이라고 할 수 있을 것입니다. 결국 처분행위는 처분을 해버린 공유자의 지분범위 내에서는 유효하고, 지분범위를 벗어난 부분만 무효가 될 것입니다(김도영, 2011).

우리의 판례 역시 "공유자 중 1인이 다른 공유자의 동의 없이 그 공유 토지의 특정부분을 매도하여 타인 명의로 소유권이전등기가 마쳐졌다면, 그 매도 부분 토지에 관한 소유권이전등기는 처분공유자의 공유지분 범위 내에서는 실체관계에 부합하는 유효한 등기라고 보아야 한다."라고 하여 이와 같은 입장입니다(대법원 1994. 12. 2. 선고 93다1596 판결).

다만 이렇게 볼 경우 실제로 공유물 전체를 사들였다고 기뻐하고 있는 매수인(공유자들과는 별 관계없는 제3자라고 할 것입니다)이 피를 보게 될 수 있는데, 맘대로 물건을 팔아 버린 공유자의 경우 '다른 공유자의 지분'까지 사들여서 제3자에게 넘겨줘야 할 의무를 지게 된다고 봅니다. 이 부분은 지금은 이해가 아마 잘 안 가실 수 있습니다만, 민법 제569조에서 정하고 있는 매도인의 담보책임과 관련되어 있습니다.

여기서 담보책임까지 공부할 수는 없으므로, 지금은 그냥 공유자가 공유물 전체를 마음대로 팔아 버리면 분명히 책임을 지기는 져야 한다, 그러나 그것이 계약 전체를 무효로 만드는 형태는 아니다, 이 정도로 정리하고 넘어가도록 하겠습니다. 더 궁금하신 분들은 따로 검색해 보시길 추천드립니다.

제569조(타인의 권리의 매매) 매매의 목적이 된 권리가 타인에게 속한 경우에는 매도인은 그 권리를 취득하여 매수인에게 이전하여야 한다.

참고로 만약 처분해 버린 공유물이 동산인 때에는 처분을 해버린 공유자의 지분을 넘어서는 부분에 대해서도 제3자의 선의취득이 적

용될 수 있다는 점, 생각해 보시기 바랍니다(지원림, 2013). 선의취득에 대해 복습하는 차원에서 곱씹어 보시는 것도 좋겠습니다.

오늘은 공유물의 처분과 변경에 대하여 알아보았습니다. 중간 중간 더 알고 싶다고 생각되는 내용이 있으신 경우에는 (관심이 있으시면) 따로 검색을 해보시고, 그게 아니면 일단은 모르는 상태로 기본적인 개념 정도만 이해하고 넘어가도 충분하다고 생각합니다.

내일은 공유물의 관리와 보존에 대해 공부하도록 하겠습니다.

*참고문헌

김도영, "공유관계에 관한 소고", 「주택금융월보」 제86호, 2011, 7-8면.

김용덕 편집대표, 「주석민법 물권2(제5판)」, 한국사법행정학회, 2019, 18면(최준규).

지원림, 「민법강의(제11판)」, 홍문사, 2013, 635면.

제265조(공유물의 관리, 보존)

공유물의 관리에 관한 사항은 공유자의 지분의 과반수로써 결정한다. 그러나 보존행위는 각자가 할 수 있다.

어제는 공유물의 처분과 변경에 대하여 알아보았는데요, 오늘은 공유물의 '관리'와 '보존'에 대해 읽어 보겠습니다. 일상생활에서도 자주 사용하는 단어이기 때문에 대략 무슨 의미인지 이미 감이 오실 겁니다. 다만, 일반적으로 우리가 쓰는 단어의 의미와 법학에서 사용되는 의미는 조금 다른 경우가 많기 때문에, 명확하게 개념을 짚고 넘어가도록 하겠습니다.

'관리'란 우리가 앞서 공부한 [처분 및 변경]의 정도까지는 이르지 않는 것으로서, 공유물을 이용하거나 개량하는 행위를 말합니다. 공유물을 아예 남에게 팔아 치우는 것은 '처분'에 해당하는 것이니까 '관리'라고 볼 수는 없는 것이지요.

그런데 실제 세세한 부분까지 들어가면 처분과 변경의 정도까지는 아닌 것이라는 게 좀 애매할 수도 있습니다. 또, 어디까지가 '이용'이고, 어디까지가 '개량'인 걸까요?

'이용'이란 공유물을 그 자체의 경제적 용도에 따라 활용하는 것을 뜻하고, '개량'이란 공유물의 사용가치나 교환가치를 증대시키는 것을 의미한다고 합니다(김준호, 2017). 결국 우리가 제265조에서

말하려는 '관리한다'의 의미는 어떠한 물건을 그 (경제적인) 용도에 따라 활용하거나, 사용할 때 또는 교환할 때의 물건 가치를 높이는 행위라고 풀어서 생각할 수 있겠습니다.

그래도 애매하다면, 대표적인 '관리'의 예시로 공유물을 세 놓는 행위(임대행위)를 떠올려 보시면 편합니다. 예를 들어 철수와 영희가 아파트를 공유해서 갖고 있는데, 그 아파트를 다른 사람에게 임대해 주고 세를 받기로 했다고 해봅시다. 이러한 임대행위는 아파트를 팔아 치우는 것도 아니고, 또 그렇다고 아파트의 본질적인 형상이 바뀌는 것도 아니기 때문에 처분·변경이라고 보기는 어렵습니다. 대신 아파트라는 물건의 경제적인 용도(사람이 주거한다는 용도)에 따라 부동산을 활용하는 것이라고 볼 수 있어서, '관리행위'에 해당된다는 것입니다.

다음으로, 제265조 단서에서 말하는 '보존'이란 뭘까요?

물건도 사람과 같이 세월이 지나면 망가지기도 하고 낡기도 합니다. 수명이 있지요. 보존이란, 이처럼 공유물이 망가지거나, 훼손되는 것 등을 방지하고 물건을 제대로 유지하기 위해서 실시하는 사실적 또는 법률적 행위를 말합니다. 예를 들어 철수와 영희가 공유하는 아파트 벽에 금이 가서, 이걸 수리하는 행위 같은 것을 생각해 볼 수 있습니다.

이런 단순한 수리 같은 행위 외에도, 판례는 "원래 공유자의 지분권은 목적물전부에 미치는 것이어서 지분권자는 목적물전부에 대한 방해배제청구권을 가질 수 있는 이치라 할 것이며, 이 방해해제는 방해없는 상태로의 복귀를 의미하는 것이어서 보존행위에 해당하는 것이라 할 것이므로, 공유자 각 자가 건물에 대한 방해배제를 사실행위로나 소송행위로나 청구할 수 있다할 것"이라 하여, 어느 누군가가 공유물을 마음대로 점거하거나 하는 경우에 사용할 수 있는 방해배제청구 역시 보존행위의 일종으로 보아, 공유자 개인이 할 수 있다고 보고 있습니다(대법원 1968. 9. 17. 선고 68다1142 판결).

민법 제265조로 돌아가면, 본문에서는 '관리'에 해당되는 행위는 공유자의 지분 과반수가 찬성하여야 할 수 있다고 정하고 있고, 단서에서는 '보존'에 해당되는 행위는 지분의 과반수 찬성 이런 거 없이도 공유자 개인이 각자 할 수 있다고 정하고 있습니다.

주의할 것은, '지분의 과반수'라고 되어 있기 때문에 '공유자의 과반수'는 아니라는 점입니다. 예를 들어 10명의 사람이 하나의 물건을 공유하고 있는데, 그중 단 2명이 가진 지분이 60%라고 해봅시다. 그러면 바로 그 2명만 찬성해도 '지분의 과반수'는 넘기는 것이 됩니다. 10명의 과반수면 6명이 찬성해야 할 것 같지만, 그렇지 않습니다.

"아니, 그러면 만약 1명이 60%의 지분을 가지고 있다면 그건 자기 마음대로 관리행위를 할 수 있다는 것이네요? 이렇게 비민주적일 수 있습니까?"

이렇게 반문하실 수 있습니다. 네, 그렇습니다. 만약 혼자서 과반수 지분을 가진 공유자라면, 적어도 제265조에 따를 때 자기 마음대로 관리행위를 실시할 수 있습니다. 예를 들어 위의 사례에서 철수가 60%, 영희가 40%의 아파트 지분을 가지고 있다면, 철수는 영희가 싫어한다고 하더라도 다른 사람에게 아파트를 세 놓을 수 있는 것입니다.

판례 역시, "부동산에 관하여 과반수 공유지분을 가진 자는 공유자 사이에 공유물의 관리방법에 관하여 협의가 미리 없었다 하더라도 공유물의 관리에 관한 사항을 단독으로 결정할 수 있으므로 공유토지에 관하여 과반수지분권을 가진 자가 그 공유토지의 특정된 한 부분을 배타적으로 사용수익할 것을 정하는 것은 공유물의 관리방법으로서 적법하다"라고 하여 같은 입장입니다(대법원 1991. 9. 24. 선고 88다카33855 판결).

"그러면 40% 지분 가진 사람이 너무 억울하지 않습니까." 이러실 수도 있지만, 물건의 공유라는 것이 직접민주주의에서 말하는 1인 1표의 평등 선거 같은 개념이 적용되는 것이 아닙니다. 억울하면 돈 더 써서(?) 과반수 지분권자가 되어야 하는 것이지요.

그리고 40% 지분을 가진 사람도 완전히 무시할 수 있는 것은 아닙니다. 철수가 설령 마음대로 다른 사람에게 아파트 세를 줬다고 하더라도 임대료를 받았을 때에는 영희에게 지분만큼을 정산해 주어야 합니다. 영희가 임대해주는 것을 반대했다고 하더라도, 여전히 영희는 40%의 지분권자로서 "공유물 전부를 지분의 비율로 사용, 수익"할 수 있는 권리가 있기 때문입니다(민법 제263조). 철수가 월세를 혼자 꿀꺽하는 것은 안 되는 겁니다. 그리고 영희 입장에서 정 못해먹겠다 싶으면, 40%의 지분을 팔고 그냥 떠나면 됩니다.

한편 보존행위의 경우에는 관리행위와 달리 공유자가 각자 알아서 할 수 있다고 되어 있는데, 그건 보존행위의 경우 시급한 경우인 때가 많고, 또 보존 행위라는 게 그 개념상 공유자 모두에게 도움이 되는 행위인 경우가 흔하기 때문에 이렇게 규정한 것입니다.

예를 들어 아파트 천장에 구멍이 나서 빗물이 줄줄 새고 있는데도 "다른 공유자들이 모두 해외여행을 가서 연락이 안 되어 큰일이군. 공유자 지분 과반수의 합의가 아직 안 되었는데 어떡하지?"라고 하면서 수리를 차일피일 미루게 된다면, 결국 그 아파트는 침수되어 버릴 겁니다.

판례는 이러한 규정을 둔 취지에 대하여 "공유물의 보존행위는 공유물의 멸실·훼손을 방지하고 그 현상을 유지하기 위하여 하는 사실적, 법률적 행위이다. 민법 제265조 단서가 이러한 공유물의 보존행위를 각 공유자가 단독으로 할 수 있도록 한 취지는 그 보존행위가 긴급을 요하는 경우가 많고 다른 공유자에게도 이익이 되는 것이 보통이기 때문이다."라고 언급하고 있으니 참고하시면 될 듯합니다(대법원 2019. 9. 26. 선고 2015다208252 판결).

오늘은 공유물의 관리와 보존에 대하여 알아보았습니다. 내일은 공유물과 관련된 비용의 부담에 대해 알아보도록 하겠습니다.

*참고문헌

김준호, 「민법강의(제23판)」, 법문사, 2017, 675면.

제266조(공유물의 부담)

①공유자는 그 지분의 비율로 공유물의 관리비용 기타 의무를 부담한다.
②공유자가 1년 이상 전항의 의무이행을 지체한 때에는 다른 공유자는 상당한 가액으로 지분을 매수할 수 있다.

자, 지금까지 우리는 공유물의 개념과 처분, 변경, 관리 및 보존이 어떻게 이루어지는지, 지분의 개념은 무엇이고 공유자들은 어떤 것을 할 수 있는지에 대해 알아보았습니다.

그런데 대체로 물건이라는 것은 유지 또는 관리비용이 들어갑니다. 예를 들어 물건이 조금 망가지거나 하면 수리도 해야 되는 것이고, 그러려면 비용도 들게 되는 겁니다. 혹은 부동산의 경우에는 공과금도 당연히 나올 텐데, 이런 것도 부대적인 비용이 되겠지요. 이러한 재산세, 취득세 같은 공과금은 제266조제1항에서의 '기타 의무'에 포함되는 것이라고 봅니다(박동진, 2022). 어쨌건 누군가는 내야 하는 돈입니다.

제266조제1항은 이러한 비용을 '관리비용 및 기타 의무'라고 통칭하면서, 공유자들이 그 지분의 비율에 따라 비용을 분담하도록 하고 있습니다. 예를 들어 철수와 영희가 아파트를 반반 지분으로 공유하고 있다면, 아파트에 나오는 공과금은 둘이서 반씩 내면 될 것입니다.

제266조제2항은 만약 공유자 중의 누군가가 1년이 넘도록 비용을 분담할 의무를 지체한 경우에는, 다른 공유자들이 상당한 가액을 내고 (의무를 저버린 그 사람의) 지분을 사들일 수 있도록 하고 있습니다. 이를 지분매수청구권이라고 부릅니다.

예를 들어 철수와 영희가 아파트를 반반 지분으로 공유하고 있는데, 철수가 자꾸만 공과금도 안 내고, 천장에서 물이 새서 수리한 비용도 안 내고, 이런 식으로 나온다면 영희는 철수의 지분을 자신이 사들여 버리고 스스로 아파트의 단독 소유자가 되어 버릴 수 있습니다. 철수가 이런 상황이 싫다면, 비용을 잘 내면 됩니다.

참고로, 제266조의 규정은 임의규정입니다. 따라서 일단 저렇게 규정되어 있긴 하지만, 만약 공유자들끼리 잘 협의해서 누군가 관리비용 등을 전액 부담하기로 약정하였다면, 그에 따르면 됩니다(최준규, 2019). 오늘은 공유물의 관리비용 등의 부담에 대해 알아보았습니다. 내일은 공유자가 지분을 포기하는 경우를 공부하도록 하겠습니다.

*참고문헌

김용덕 편집대표, 「주석민법 물권2(제5판)」, 한국사법행정학회, 2019, 50면(최준규).

박동진, 「물권법강의(제2판)」, 법문사, 2022, 254면.

제267조(지분포기 등의 경우의 귀속)

공유자가 그 지분을 포기하거나 상속인없이 사망한 때에는 그 지분은 다른 공유자에게 각 지분의 비율로 귀속한다.

우리는 앞서 공유에서는 '지분'의 개념이 중요하다는 사실을 공부하였고, 공유자는 자신의 지분을 자유롭게 처분할 수 있고, 공유물을 지분의 비율에 따라서 사용, 수익할 수 있다는 것을 알았습니다. 이처럼 공유지분이라는 것은 마치 소유권과 같은 취급을 받는 것이지만, 단지 하나의 물건 위에 다른 지분도 함께 존재한다는 이유로 몇 가지 제한을 받게 된다고 하겠습니다. 바꿔 말하면 이는 다른 지분이 없어지게 되는 경우 그만큼 '제한'이 풀리게 된다는 뜻으로, 이와 같은 성질을 지분의 탄력성이라고도 부릅니다(최준규, 2019).

예를 들어 여러 명의 공유자 중 1명이 지분을 포기하거나, 혹은 사망하였는데 상속인이 없는 경우에는 어떻게 될까요?

예를 들어 철수, 영희, 민수 3명이서 땅 하나를 공유하고 있다고 해봅시다(각각의 지분은 1/3로 동일). 어느 날 철수가 불의의 사고로 사망하고 말았습니다. 그리고 철수에게는 자식이나 가족도 없어, 그의 재산을 상속할 사람도 없다고 해봅시다.

제267조는 이러한 경우에 (고인이 된) 철수가 갖고 있었던 지분 1/3은 다른 공유자(영희, 민수)에게 그 지분의 비율에 따라서 귀속

한다고 정하고 있습니다. 이 경우 철수를 제외한 영희와 민수의 지분은 서로 그 비율이 동일하므로, 두 사람은 故 철수의 지분을 절반씩 떼어가면 됩니다. 즉, 다음 그림에서와 같이 철수의 지분(1/3)을 절반씩 가져가게 되므로 영희는 이제 1/3 + 1/6 = 1/2의 지분을 갖게 되고, 민수도 마찬가지가 됩니다.

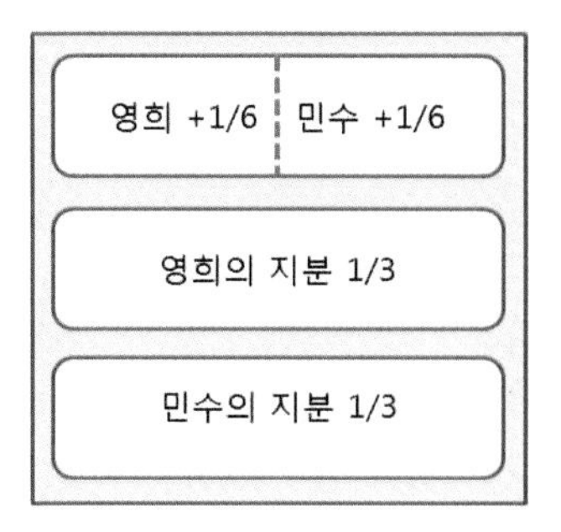

철수가 사망하지 않고 그냥 지분을 포기하는 경우에도 마찬가지입니다. 철수가 굳이 자기가 가진 지분을 포기하겠다는데, 말릴 이유가 없습니다. 마치 물건의 소유자가 소유권을 스스로 포기할 수 있는 것과 유사합니다. 이 경우 지분의 포기는 일반적으로 상대방 없는 단독행위(법률행위)라고 할 수 있겠습니다(법률행위에 관한 내용은 총칙 편 참조).

원래 우리 민법 제일 뒤쪽 정도에 가면, 제1058조에서 사망한 사람의 재산을 물려받을 사람이 없을 때에는 국가에 재산이 귀속되도록 정하고 있습니다. 본래는 이것이 원칙인데, 우리의 민법 제267조는 바로 이 조문에 대해 특칙을 정하고 있다고 하겠습니다.

제1058조(상속재산의 국가귀속) ①제1057조의2의 규정에 의하여 분여(分與)되지 아니한 때에는 상속재산은 국가에 귀속한다.
②제1055조제2항의 규정은 제1항의 경우에 준용한다.

그런데 만약 집합건물이라면 조금 얘기가 달라집니다. 집합건물이란, 「집합건물의 소유 및 관리에 관한 법률」에서 정의되어 있는 것으로 1동의 건물 중 구조상 구분이 된 부분이 있어서, 그 부분이 또다시 독립된 건물로서 사용될 수 있을 때에는 그 부분만을 '구분소유'할 수 있는데, 그러한 구분소유할 수 있는 것의 집합체를 말하는 것입니다. 대표적인 예가 바로 큰 아파트 같은 것들이지요.

제215조(건물의 구분소유) ①수인이 한 채의 건물을 구분하여 각각 그 일부분을 소유한 때에는 건물과 그 부속물중 공용하는 부분은 그의 공유로 추정한다.
②공용부분의 보존에 관한 비용 기타의 부담은 각자의 소유부분의 가액에 비례하여 분담한다.

*다만, 300세대 이상의 공동주택이나 150세대 이상으로서 승강기가 설치된 공동주택 등 일부 대단지 아파트의 경우에는 「공동주택관리법」이 적용될 수 있습니다. 어떤 건물이 집합건물법의 적용을 받는지, 공동주택법의 적용을 받는지는 따져 볼 부분이 많으므로 주의하시기 바랍니다.

집합건물과 구분소유에 대해서는 우리가 예전에 이미 공부한 적 있습니다. 기억이 잘 안 나시는 분들은 제215조로 돌아가 복습하고 오셔도 좋겠습니다. 구분소유의 개념은 꼭 알고 있으셔야 합니다.

그런데 집합건물에는 항상 대지사용권이라는 개념이 딸려 옵니다. 대지사용권이란, 구분소유자가 전유부분을 소유하기 위하여 건물의 대지에 대하여 가지는 권리입니다('전유부분'의 개념은 제215조 파트를 참조 바랍니다). 이렇게 말하면 이해가 안 가니까, 쉽게 생각해 봅시다. 어떤 아파트가 있고, 이건 집합건물입니다. 그리고 이 아파트 7층에 있는 701호에는 나부자가 소유자로 살고 있고요, 701호는 나부자가 '구분소유'하고 있다고 할 수 있겠지요.

그런데 나부자가 비록 지면으로부터 수십 미터 떨어진 7층에 살고 있지만, 생각해보면 나부자는 분명히 그 건물이 서 있는 '대지'를 사용하고 있다고 볼 수 있습니다. 왜냐하면 우리가 공부하기를 분명히 땅과 건물은 서로 다른 부동산이라고 했는데, 그 건물도 땅 위에 있고, 땅 주인은 건물이 서 있는 바람에 그 땅을 다른 용도로 쓰지 못하지 않습니까.

예를 들어 100평의 땅에 아파트 1채가 들어서 있고 여기에 100세대가 살고 있다면, (실무상 꼭 1/n이 되는 것은 아니지만 단순하게 생각하면) 1세대당 1평씩을 사용하고 있는 셈인 겁니다. 따라서 나부자가 자신이 구분소유한 701호를 적법하게 사용하기 위해서는 그 건물이 위치한 땅을 사용할 수 있는 권리가 있어야 하는데, 이것이 대지사용권입니다.

*참고로 대지사용권은 '소유권'과는 다른 개념입니다. 왜 '사용권'이라는 표현이 붙었는지 생각해 보시기 바랍니다. 말 그대로 '사용'할 수 있는 권리입니다. 물론, 대지사용권은 대체로 소유권의 형태로 존재하는 것이 통상이기는 합니다. 하지만 지상권이나 전세권 같은 형태로도 가능합니다.

"어머, 저는 지금 아파트 사는데 그런 거 없이 잘 살고 있는데요? 그런 권리 사들인 적이 없는데."

아뇨, 아마 있으실 겁니다. 대지사용권이 없으면 오히려 문제가 있는 겁니다. 보통 대지사용권에 대해 깊이 생각하지 않는 이유는, 아파트 같은 집합건물을 사고팔 때 대지사용권은 함께 딸려 오기 때문입니다. 이는 「집합건물의 소유 및 관리에 관한 법률」(이하에서는 '집합건물법'으로 줄여서 말하겠습니다) 제20조에 규정되어 있습니다. 여기서는 구분소유자가 전유부분을 사고파는 경우 대지사용권도 함께 딸려 가고, 원칙적으로 전유부분을 팔고 대지사용권은 안 파는 식으로 해서는 안된다고 되어 있습니다. 그러니까 아주 특수한 예외가 아닌 이상, 아마 높은 확률로 여러분이 아파트를 샀다면 대지사용권도 함께 들어왔을 겁니다. 등기부 떼어 보시면 나와 있을 거예요. 이런 규정을 두고 있지 않으면, 아파트만 구입하고 깜빡 대지사용권을 사지 않아 법적 분쟁이 발생하는 일이 흔하게 일어나겠지요. 즉, 아래 법 제20조제1항에 따르면 전유부분을 사들인 매수인은 전유부분의 대지사용권에 해당하는 토지의 공유지분을 함께 취득한다고 볼 것입니다.

집합건물의 소유 및 관리에 관한 법률
제20조(전유부분과 대지사용권의 일체성) ① 구분소유자의 대지사용권은 그가 가지는 전유부분의 처분에 따른다.
② 구분소유자는 그가 가지는 전유부분과 분리하여 대지사용권을 처분할 수 없다. 다만, 규약으로써 달리 정한 경우에는 그러하지 아니하다.
③ 제2항 본문의 분리처분금지는 그 취지를 등기하지 아니하면 선의(善意)로 물권을 취득한 제3자에게 대항하지 못한다.
④ 제2항 단서의 경우에는 제3조제3항을 준용한다.

자, 그러면 왜 굳이 이 이야기를 민법 제267조에서 하느냐, 그건 집합건물법 제22조 때문입니다. 중요한 예외이니 살펴보도록 하겠습니다. 동법 제22조에서는 민법 제267조를 대지사용권에 대하여 적용하지 않도록 예외를 규정하고 있습니다.

집합건물의 소유 및 관리에 관한 법률
제22조(「민법」 제267조의 적용 배제) 제20조제2항 본문의 경우 대지사용권에 대하여는 「민법」 제267조(같은 법 제278조에서 준용하는 경우를 포함한다)를 적용하지 아니한다.

집합건물법 제22조와 같은 것은 왜 있을까요? 왜 이런 규정을 두고 있느냐, 그건 제22조가 없으면 다음과 같은 문제점이 생기기 때문입니다.

먼저 위의 나부자의 사례를 생각해 봅시다. 일단 나부자는 701호를 단독으로 소유하고 있으니까, '공유'의 문제와는 전혀 상관이 없을 것 같지만(제267조가 적용될 여지가 없을 것 같지만) 그렇지 않습니다. 왜냐하면 구분소유권 말고 대지사용권의 경우에는 다른 층의 사람들과 '공유'하고 있기 때문입니다. 101호부터 꼭대기 층까지의 구분소유자들이 같은 대지를 쓰고 있으니까요.

*일반적으로는 대지사용권을 여러 구분소유자들이 공유하는 것이 통상이지만, 아주 예외적으로 분유(分有) 같은 사례도 발생할 수는 있습니다. 여기서는 그런 경우는 제외하고 말씀드리겠습니다.

그럼 이런 상황에서 (제22조가 없다고 가정한 상황에서) 만약 나부자가 자신의 구분소유권과 대지사용권을 함께 포기하거나(위에서 말한 집합건물법 제20조 때문에 한쪽만 포기하는 것은 안 됩니다), 상속인 없이 사망하는 경우를 생각해 보도록 하겠습니다. 우리가 전에 공부했던 제252조를 생각하면서, 각각의 논리적 전개에 따라 천천히 따라가 볼게요.

제252조(무주물의 귀속) ①무주의 동산을 소유의 의사로 점유한 자는 그 소유권을 취득한다.
②무주의 부동산은 국유로 한다.

③야생하는 동물은 무주물로 하고 사양하는 야생동물도 다시 야생상태로 돌아가면 무주물로 한다.

1. 집합건물법 제22조가 존재하지 않는 경우

①나부자가 (단독으로 소유한 701호의) 구분소유권과 대지사용권을 포기하는 경우

· 구분소유권의 경우 → 애초에 공유하던 물건이 아니라 나부자 혼자 소유자인 상태임 → 민법 제267조 적용 안됨 → 민법 제252조제2항은 적용됨 → 701호 전유부분은 국가 소유가 됨
· 대지사용권의 경우 → 애초에 각 층 모든 사람들하고 공유하던 권리 → 민법 제267조 적용됨(*여기서는 사실 제278조도 함께 봐야 하는데, 나중에 해당 파트에서 따로 말씀드리겠습니다) → 대지사용권의 공유지분은 그 비율에 따라 다른 공유자들에게 귀속
· 결론 : 전유부분은 국가 소유, 대지사용권은 공유자들이 나눠 갖게 됨 → 전유부분과 대지사용권이 따로 놀게 되는 문제점 발생

②나부자가 (단독으로 소유한 701호를 놔두고) 상속인 없이 사망하는 경우

· 구분소유권의 경우 → 애초에 공유하던 물건이 아니라 나부자 혼자 소유자인 상태임 → 민법 제267조 적용 안됨 → 민법 제1058조는 적용됨(사망한 사람의 상속재산에 대해 따로 정하고 있음) → 701호 전유부분은 국가 소유가 됨

· 대지사용권의 경우 → 애초에 각 층 사람들하고 공유하던 권리 → 민법 제267조 적용됨(제278조 참조) → 대지사용권의 공유지분은 그 비율에 따라 다른 공유자들에게 귀속
· 결론 : 전유부분은 국가 소유, 대지사용권은 공유자들이 나눠 갖게 됨 → 위에서와 똑같은 결론, 같은 문제점 발생

대강 이해가 가시나요? 결론은 둘 다 똑같긴 한데, 아주 약간 논리 전개상의 차이가 있긴 합니다. 어쨌건 어느 쪽이건 이렇게 되어버리면, 애초에 '전유부분'과 '대지사용권'이 분리되어서 따로따로 놀지 않게 하려던 '집합건물법' 제20조의 취지가 무너지게 되는 것입니다.

국가는 대지사용권도 없는 전유부분에 관한 권리만 딸랑 갖게 되는 건데, 이건 집합건물법이 원하는 상황이 아닙니다. 그래서 여기서 집합건물법 제22조를 만들어낸 겁니다. 자, 그러면 집합건물법 제22조가 있다고 하면 어떻게 논리가 전개되는지 한번 봅시다.

2. 집합건물법 제22조가 존재하는 경우

①나부자가 (단독으로 소유한 701호의) 구분소유권과 대지사용권을 포기하는 경우

· 구분소유권의 경우 → 애초에 공유하던 물건이 아니라 나부자 혼자

소유자인 상태임 → 민법 제267조 적용 안됨 → 민법 제252조제2항 은 적용됨 → 701호 전유부분은 국가 소유가 됨
· 대지사용권의 경우 → 애초에 각 층 모든 사람들하고 공유하던 권리 → 민법 제267조가 적용될 뻔했으나 집합건물법 제22조에 따라 적용 배제됨 → 집합건물법 제20조제2항에 따라 대지사용권은 전유부분의 처분에 따라가므로 대지사용권도 국가에 귀속됨
· 결론 : 전유부분과 대지사용권 모두 국가가 갖게 됨

②나부자가 (단독으로 소유한 701호를 놔두고) 상속인 없이 사망하는 경우

· 구분소유권의 경우 → 애초에 공유하던 물건이 아니라 나부자 혼자 소유자인 상태임 → 민법 제267조 적용 안됨 → 민법 제1058조는 적용됨 → 701호 전유부분은 국가 소유가 됨
· 대지사용권의 경우 → 애초에 각 층 모든 사람들하고 공유하던 권리 → 민법 제267조가 적용될 뻔했으나 집합건물법 제22조에 따라 적용 배제됨 → 집합건물법 제20조제2항에 따라 대지사용권은 전유부분의 처분에 따라가므로 대지사용권도 국가에 귀속됨
· 결론 : 전유부분과 대지사용권 모두 국가가 갖게 됨

이렇게 문제가 해결됩니다. 그러면 국가는 구분소유권과 대지사용권을 모두 갖게 되어, 따로따로 놀지 않게 하려는 집합건물법의 목적이 달성되는 겁니다(이원, 2019). 집합건물법 제22조를 둔 취

지가 달성되는 것이지요.

오늘은 공유지분의 포기와 상속인 없이 사망한 경우, 그리고 민법 제267조의 예외를 규정한 집합건물법에 대하여 알아보았습니다. 집합건물 부분이 좀 복잡하다고 생각하실 수도 있겠는데요, 시간이 없거나 하신 분들은 그냥 민법 제267조 부분만 이해하시고, 집합건물에 대해서는 무슨 예외가 있다더라 하는 정도만 기억하고 넘어가셔도 무방합니다. 내일은 공유물의 분할청구에 대해 알아보겠습니다.

*참고문헌

김용덕 편집대표, 「주석민법 물권2(제5판)」, 한국사법행정학회, 2019, 269-270면(이원).

위의 책, 54면(최준규).

제268조(공유물의 분할청구)

①공유자는 공유물의 분할을 청구할 수 있다. 그러나 5년내의 기간으로 분할하지 아니할 것을 약정할 수 있다.
②전항의 계약을 갱신한 때에는 그 기간은 갱신한 날로부터 5년을 넘지 못한다.
③전2항의 규정은 제215조, 제239조의 공유물에는 적용하지 아니한다.

우리가 열심히 지금 공부하고 있는 '공유'의 관계는 여러 가지 이유로 소멸할 수 있습니다. 예를 들어 어제 공부하였던 조문을 생각해 보세요. 철수, 영희, 민수가 땅을 함께 1/3씩 공유하고 있는데, 만약 철수와 영희가 불의의 사고로 사망하고, 두 사람에게 상속인도 없다면 민수가 그 공유지분을 받아 단독 소유자가 될 것입니다. 이 경우에도 공유관계는 없어진 것이지요.

그런데 공유자가 여럿 죽어나가는 슬픈 상황이 아니더라도 공유관계는 끝낼 수 있습니다. 그중 하나가 바로 제268조의 공유물 분할청구입니다.

제268조제1항을 봅시다. 공유지분을 가진 공유자는 공유물의 분할을 청구할 수 있다고 합니다. 이렇게만 하면 이해가 잘 안 가니까 예를 들어 보겠습니다.

철수, 민수, 영희가 땅을 공유하고 있었습니다. 지분은 각각 1/3씩이라고 합시다. 그런데 철수는 민수랑 영희랑 마음도 잘 맞지 않고, 원래부터 알고 지내던 사이도 아니어서 이들과의 공유관계를 청산하고 싶어졌습니다.

이에 철수는 제268조에 따라 공유물 분할을 청구할 수 있는 권리(공유물분할청구권)를 행사하기로 합니다. 이 권리를 학설은 형성권으로 파악하고 있으므로, 철수의 일방적인 의사표시에 의해서 민수와 영희는 철수의 분할 요구에 협의하여야 하는 의무가 발생하게 됩니다. 협의가 파행으로 치닫게 되면 어쩔 수 없이 법원으로 가야 하는데, 구체적인 내용은 내일 공부할 조문에서 다루도록 하겠습니다.

*예전에 공부한 적이 있는데, 복습 차원에서 말씀드리면 형성권은 권리자의 일방적 의사표시만으로 권리의 변동을 가져오는 권리를 말합니다. 이에 비하여 청구권은 다른 누군가에게 일정한 행위를 요구할 수 있는 권리입니다. 오늘 공부하는 공유물분할청구권은 이름에 '청구권'이라고 들어가 있어서 마치 청구권인 것처럼 느껴질 수 있지만, 실제로 학설은 이름과는 달리 형성권으로 보고 있으므로 주의하시기 바랍니다.

협의가 잘 되어 철수, 민수, 영희는 토지의 일부분을 1/3씩 나누어서 따로 갖기로 했습니다. 예전에 공부한 적이 있는데, 이른바 '분필'을 하는 것입니다. 그러면 예전에 철수는 'A라는 토지의 지분 1/3을 가진 공유자'였다면, 이제는 'A토지를 분필한 결과 3개로 나뉜

토지 중 하나의 온전한 소유자'가 되는 것입니다. 법적인 지위가 다릅니다.

물론, 제1항 단서에 의하면, 처음에 공유자들끼리 서로 약정을 맺어서 5년 이내의 기간 동안에는 공유물을 서로 분할하지 않기로 할 수는 있습니다(이러한 경우에는 당연히 공유물 분할청구가 제한됩니다). 이른바 분할금지약정이라고 할 수 있겠습니다.

분할금지약정이 5년을 넘기지 않도록 한 이유는 무엇일까요? 이는 공유물을 분할할 수 있도록 하는 공유자의 선택 역시 공유관계에서의 중요한 '자유'라고 인정하기 때문입니다.

만약 분할금지약정에 대한 기간 제한이 없다면, 처음부터 공유자들이 '영원한' 분할금지약정을 맺어 버리는 일이 발생할 수 있습니다. 그러면 '들어올 때는 자유지만, 나갈 때는 아니란다'라는 사태가 발생할 수도 있습니다. 이렇게 되는 것을 막고, 공유자가 공유관계를 청산할 수 있도록 하는 자유를 보장해 주는 것이 우리 민법의 태도라고 하겠습니다.

또한 제2항에 의하면, 이러한 분할금지약정은 갱신도 가능한데, 다만 갱신을 하더라도 갱신한 날로부터 다시 5년을 넘기지는 못하는 것으로 되어 있습니다. 갱신이 가능한데 갱신기간에는 제한이 없다면, 제1항 단서에서 기간 제한을 둔 의미 자체가 없어지겠지요. 영원한 기간으로 갱신해 버리면 되니까요.

제3항에서는 제215조와 제239조의 공유물에 대해서는 제1항과 제2항을 적용하지 않도록 하고 있습니다.

제215조(건물의 구분소유) ①수인이 한 채의 건물을 구분하여 각각 그 일부분을 소유한 때에는 건물과 그 부속물중 공용하는 부분은 그의 공유로 추정한다.
②공용부분의 보존에 관한 비용 기타의 부담은 각자의 소유부분의 가액에 비례하여 분담한다.
제239조(경계표 등의 공유추정) 경계에 설치된 경계표, 담, 구거 등은 상린자의 공유로 추정한다. 그러나 경계표, 담, 구거 등이 상린자일방의 단독비용으로 설치되었거나 담이 건물의 일부인 경우에는 그러하지 아니하다.

제215조는 건물의 구분소유에 관한 내용이고, 제239조는 경계표 등의 공유 추정에 관한 내용입니다. 왜 이렇게 하느냐, 일단 구분소유를 하는 경우의 예시로 아파트를 생각해 볼까요? 사실 전유부분의 경우에는 분할을 하는 데에 크게 문제가 없습니다. 문제가 되는 것은 바로 공용부분입니다. 제215조제1항에 따르면 공용부분은 아파트에 있는 여러 '호'의 소유자들이 공유하는 것으로 추정됩니다.

예를 들어 101호의 주인은 A, 102호의 주인은 B, 이런 식으로 소유자가 여러 명이라고 할 때, 아파트의 계단이나 복도 같은 구역은 A, B, C... 이런 사람들이 공유하고 있는 것으로 추정되는 것입니다. 즉, 자연스럽게 공유관계가 되는 거지요.

만약 제215조에 따른 공용부분까지도 분할청구가 가능하다고 해 버리면 곤란해집니다. 아파트의 계단이나 복도 같은 것은 어쩔 수 없이 여러 사람이 함께 공유해서 써야 하는 측면이 있기 때문이지요. 제239조도 마찬가지로 공유물 분할을 인정해 버리면 곤란한 측면이 있기 때문에 예외적으로 분할청구를 할 수 없도록 하고 있습니다.

그러면 실제로 공유물을 구체적으로 어떻게 분할하면 되는 걸까요? 오늘의 조문만으로는 이해하기가 조금 어렵습니다. 바로 그 부분은 내일 공부하도록 하겠습니다.

제269조(분할의 방법)

①분할의 방법에 관하여 협의가 성립되지 아니한 때에는 공유자는 법원에 그 분할을 청구할 수 있다.
②현물로 분할할 수 없거나 분할로 인하여 현저히 그 가액이 감손될 염려가 있는 때에는 법원은 물건의 경매를 명할 수 있다.

자, 그러면 공유물 분할은 구체적으로 어떻게 이루어지는지 알아봅시다. 공유자는 자신의 공유지분을 자유롭게 처분할 수 있는 자유가 있고요, 또한 공유물에 대해서 '쪼개기'(분할)을 언제든지 청구할 수 있는 권리도 있습니다.

어제 든 예시대로 어떤 땅이 있는데, 그 땅을 철수, 민수, 영희가 각각 1/3씩 지분을 나누어 공유하고 있다고 합시다. 철수는 여기서 공유관계를 더 이어가고 싶지 않고, 공유물을 분할하고 싶습니다.

그래서 공유물분할청구권을 행사합니다. 어제 공부한 대로 이 권리는 형성권이니까, 민수와 영희는 공유물을 분할하는 협의를 '일단 하기는 해야 하는' 의무를 집니다. 그리고 분할은 공유자 전원이 협의하여야 합니다.

우리의 판례는 "공유라 함은 수인이 지분에 의하여 공동으로 어떤 물건의 소유권을 갖는 상태를 말하며 그 공유관계를 종료시키는 방법이 즉 공유물의 분할이라 할 것인 바, 공유물의 분할은 공유자

들 가운데 어떤 사람들만에 의하여서는 할 수 없고 반드시 공유자 전원이 분할 절차에 참여하여야 한다는 것은 공유의 성질상 당연한 결과라 할 것이다"라고 하여 공유자 중 1명이라도 맘대로 빼고 분할하는 경우 그 분할은 무효라고 보고 있습니다(대법원 1968. 5. 21. 선고 68다414,415 판결).

그런데 민수와 영희는 일단 협의를 할 의무는 있지만, 철수가 요구하는 대로 협의를 반드시 해주어야 할 의무까지 있는 것은 아닙니다. 철수가 민수 및 영희에게 아주 불리한 조건으로 공유물을 분할하자고 하는데도 반드시 거기에 응하여야 한다면 그건 너무 일방적인 것이겠죠.

결론적으로 셋이서 협의가 잘 되기만 하면 아무 문제가 없습니다. 협의가 된 대로 공유물을 쪼개면 됩니다. 그러나 그렇지 못한 경우, 이제 제269조로 넘어오게 됩니다.

제1항에 의하면 협의가 성립되지 아니하는 경우에는 이제 법원이 개입하게 된다고 합니다. 공유자는 법원에 분할을 청구하게 되고, 법원에서는 판결을 내려 최대한 공정하다고 생각되는 분할을 하게 해 줍니다. 공유물 분할을 원하는 사람이 원고가 되어 나머지 공유자들을 상대로(피고로 하여) 소송을 제기하면 됩니다.

"그냥 지분대로 쪼개서 가져가면 되지 않나요? 협의가 안될 이유가 있나요?"

이렇게 생각하시는 경우도 있습니다만, 공유물 분할이 그렇게 간단한 것은 아닙니다. 단순히 얼마나 가져갈 것인지를 떠나서 '어떻게' 쪼갤 것인지도 문제가 될 수 있습니다. 가장 쉽게 생각할 수 있는 것은 위 질문에서처럼 땅을 1/3씩 쪼개어 각각 철수, 민수, 영희가 소유하는 것으로 이처럼 공유물을 현실적으로 쪼개는 것을 **현물분할**이라고 합니다.

반면, 아예 땅을 통째로 팔아 버린 후, 그 매각대금을 철수, 민수, 영희가 각각 나누어 갖는 방법도 생각해 볼 수 있는데 이를 **대금분할**이라고 합니다. 또 공유자 중 1명이 다른 공유자들이 가진 지분만큼을 매수하여 혼자서 단독 소유자가 되는 방법이 있는데 이를 **가격배상**이라고 합니다. 그 밖에도 현물분할, 대금분할 같은 방법들을 섞어서 사용할 수도 있습니다.

이와 같이 분할의 방법이 여러 가지고, 서로 다른 이해관계가 얽혀 있기 때문에 공유물 분할의 협의는 잘 안 되는 경우가 있습니다. 제269조는 그러한 경우를 위하여 재판을 통해 분할을 할 수 있도록 하고 있는 것입니다.

심지어 현물분할이라고 하더라도 공유자 간에 의견 다툼은 충분히 일어날 수 있습니다. 땅이 900평이면 각자 300평씩 가져가면 될 것 같다고 단순하게 생각할 수 있지만, 땅의 일부는 토양이 기름지고 가치가 높은 반면 일부는 토양이 척박하고 가치가 떨어진다면, 공유자 중 누구도 자신이 안 좋은 부분을 쪼개어 갖고 싶지 않을 것

입니다. 그러다 보면 단순히 300평씩 쪼개는 것이 오히려 불합리할 수도 있게 되고, 협의가 불발될 수 있는 것입니다.

우리의 판례 역시 "토지를 분할하는 경우에는 원칙적으로는 각 공유자가 취득하는 토지의 면적이 그 공유지분의 비율과 같아야 할 것이나, 반드시 그렇게 하지 아니하면 안 되는 것은 아니고, 토지의 형상이나 위치, 그 이용상황이나 경제적 가치가 균등하지 아니할 때에는 이와 같은 제반 사정을 고려하여 경제적 가치가 지분비율에 상응되도록 분할하는 것도 허용된다."라고 하여 원칙적으로는 토지 면적을 지분 비율과 맞추어야 하지만, 상황에 따라서는 다르게 나눌 수도 있다고 보고 있습니다(대법원 1993. 12. 7. 선고 93다27819 판결).

제269조제2항은 공유물을 분할할 때에는 일단 원칙적으로는 현물분할을 할 것을 전제로 하고 있습니다(원칙: 현물분할). 다만, 현물분할을 할 수가 없는 상황이라거나, 아니면 쪼갤 경우에는 가치가 뚝 떨어지는 문제가 있다면, 억지로 물건을 쪼개지 말고 법원이 물건을 경매로 팔아 버리되 대신 그 대금을 공유자들에게 나누어주는 방식을 취할 수 있다는 것입니다. 즉, 대금분할을 할 수 있다는 것이지요.

참고로, 협의로 공유물분할이 완료되는 경우와 제269조에 따라 재판에 의하여 분할되는 경우에 법적으로 약간 달라지는 부분이 있습니다. 협의하여 분할하는 경우에는 합의 그 자체만으로 바로 각 공유자가 분할된 부분에 대한 소유권을 취득하는 것은 아니고, 민법 제186조에 따라 등기를 하여야 유효하게 소유권을 취득하게 됩니다(물권변동의 요건). 기억이 잘 안 나면 해당 파트를 복습하시길 바랍니다.

반면, 제269조에 따라 재판상 분할이 확정되면(판결확정시점) 민법 제187조에 따라 각 공유자는 분할된 부분에 대해서 바로 소유권을 취득하게 됩니다(최준규, 2019). 하지만 판결에 의하여 부동산 물권을 취득하더라도 그 부동산을 다시 팔거나 할 때는 어차피 등기가 필요하니, 나중에라도 등기를 하기는 하여야 할 것입니다.

오늘은 공유물의 분할 방법과, 협의가 안 되는 경우 재판으로 가게 되는 상황에 대해 알아보았습니다. 내일은 분할로 인한 담보책임에 관하여 공부하겠습니다.

*참고문헌

김용덕 편집대표, 「주석민법 물권2(제5판)」, 한국사법행정학회, 2019, 71-72면(최준규).

제270조(분할로 인한 담보책임)

공유자는 다른 공유자가 분할로 인하여 취득한 물건에 대하여 그 지분의 비율로 매도인과 동일한 담보책임이 있다.

처음 공유물 분할에 대해 언급할 때, 설령 공유자 3명이 똑같이 3분의 1씩 땅을 쪼개더라도 그 법적인 지위는 달라지게 된다고 말씀드렸던 바 있습니다. 오늘 제270조를 공부하고 나면 구체적으로 어떤 부분이 달라지게 되는 것인지 좀 더 이해하기 편하실 것입니다.

우선 제270조에서는 생소한 표현이 하나 나옵니다. '담보책임'입니다. 우리는 일상에서 '담보'라는 표현을 가끔 씁니다. 대충 생각해보면, 어떤 것을 보장하고 확실히 한다는 뜻으로 사용합니다. "그걸 어떻게 담보할 수 있어? 확실해?" 이런 식이지요.

담보책임(擔保責任)이란, 매매계약에서 권리의 흠결이 있거나 권리의 객체인 물건에 하자가 있는 경우 매도인이 매수인에 대하여 지게 되는 책임을 말합니다(남효순, 1993). 이렇게 말하면 어려우니까, 쉽게 생각해 보겠습니다.

매매계약이라는 것은 서로 물건을 사고 팔기로 한 약속을 말합니다. 어떤 사람이 자기 물건을 다른 사람에게 얼마에 팔기로 하고, 물건을 넘겨줍니다. 그럼 매수인(사는 사람)은 매도인(파는 사람)에게 돈을 건네줍니다. 그러면 서로 계약을 잘 이행한 것이고 문제가 없이 그냥 끝납니다.

그런데 만약 물건에 문제가 있다면 어떻게 될까요? 예를 들어 집(부동산)을 샀는데, 천장에서 비가 샌다든가, 하수구에 문제가 있어 역류가 계속 일어난다든가 하는 문제가 있다면요? 세상 어느 누구도 비가 새는 집을 제값 주고 살 사람은 없을 것입니다. 그래서 이런 경우 물건을 판 사람에게 책임이 어느 정도 있다고 보는 것이 바로 담보책임입니다. 물론 현실에서 담보책임이 성립하려면 좀 더 세밀한 논의가 필요합니다만, 여기서는 최대한 단순화된 예시를 들어 본 것입니다.

우리 민법에서는 민법 제570조 이하에서 매도인의 담보책임에 대하여 별도로 규율하고 있습니다. 그러니까 여러분이 지금 단계에서 담보책임이라는 것을 자세히 알 필요까지는 없습니다. 그냥 이러한 책임이 민법상 존재하고 있구나, 정도로만 아시면 충분합니다.

제570조(동전-매도인의 담보책임) 전조의 경우에 매도인이 그 권리를 취득하여 매수인에게 이전할 수 없는 때에는 매수인은 계약을 해제할 수 있다. 그러나 매수인이 계약당시 그 권리가 매도인에게 속하지 아니함을 안 때에는 손해배상을 청구하지 못한다.

자, 그러면 이제 제270조가 무슨 의미인지 생각해 보도록 하겠습니다. 제270조에 따르면 공유자는 다른 공유자가 분할로 인하여 취득한 물건에 대해 그 지분의 비율로 담보책임이 있다는 건데, 예를

들어 보겠습니다.

철수와 영희는 부동산 투자에 관심이 많았고, 둘이 힘을 합쳐서 50%씩 자금을 대어 주택을 하나 매입하였습니다. 해당 주택은 1층과 2층으로 나뉘어 각각 사람이 살 수 있는 독립성을 갖고 있었습니다.

일단 처음 공유할 때에는 1층은 철수 것, 2층은 영희 것 이렇게 나누지 않습니다. 그냥 둘 다 공유지분 절반을 가지고 있는 거지요. 1층 화장실이랑 거실은 철수 것, 1층 침실은 영희 것... 이렇게 하지 않는다는 것입니다.

이제 철수와 영희가 서로 사이가 틀어지게 되어 공유관계를 청산하기로 하고, 공유물분할을 했다고 합시다. 분할의 결과 철수는 1층집을, 영희는 2층집을 갖기로 하였습니다.

그런데 철수가 1층에서 살다 보니 1층 벽에 숨겨져 있던 구멍이 있고 그로 인해서 집의 보온이 전혀 안 되는 문제가 있는 것을 알게 되었습니다.

철수는 "이럴 줄 알았다면 1층을 가져가겠다고 하지 않았을 것이다. 영희에게도 책임이 있다." 이렇게 말하고, 영희는 "네가 골라서 1층 가져간 것 아니냐? 복불복인데 누굴 원망하느냐. 나는 책임이 없다." 이렇게 말합니다.

결론적으로 말하면 영희에게도 책임이 있습니다. 그게 바로 제270조에 따른 것입니다. 왜 그럴까요? 생각해 보면, 철수는 처음부터 1층집의 소유자였던 것이 아닙니다. 그냥 1층과 2층을 합친 주택의 '공유자' 였을 뿐입니다. 따라서 공유물분할로 철수가 1층 전체를 가져가게 된 것은 사실상 1층에 대한 영희 지분의 일부를 '사들인'(혹은 맞바꾼) 것과 유사한 모양새라고 할 수 있을 것입니다.

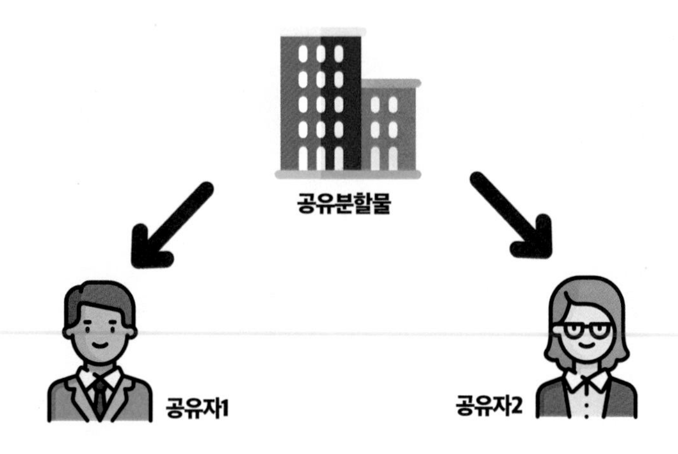

반대로 영희 역시 2층 전체를 가져가게 된 것은 사실상 2층에 대한 철수 지분의 일부를 '사들인' 것과 유사한 모양새가 됩니다. 실제 매매계약과 완전히 동일한 법적 성질을 가진 것은 아니지만, 적어도 매매계약에서 발생할 수 있는 억울한 일을 막기 위해 존재하는 담보

책임이라는 제도를 적용하기에는 충분하다는 것입니다.

물론 그렇다고 해서 영희도 주택 전체를 소유하고 있다가 전체를 철수에게 판 것도 아닌데, 수리비 전체를 부담하는 것은 억울할 것입니다. 그래서 제270조에서는 '그 지분의 비율로' 담보책임을 지도록 하고 있으며, 따라서 50%의 지분권자였던 영희는 그 지분 비율(50%)의 범위 내에서 철수에게 책임을 지면 될 것입니다.

*담보책임에 대해 상세히 알아보지는 않았으니 구체적으로 어떻게 책임을 지는지 살펴보기는 현재로는 어렵습니다. 단지 담보책임에 관한 민법규정(제570조 이하)에서는 손해배상청구나 대금감액청구(문제가 있으니 물건 값을 좀 깎아달라고 요구하는 것), 계약해제와 같은 권리를 인정해 주고 있다는 정도로만 알아 두시면 되겠습니다.

다만, 협의가 잘 안 되어서 재판으로 넘어가 법원에 의해서 분할이 된 경(재판상 분할)의 경우에는, 담보책임에서의 해제권 같은 것은 인정되지 않는다고 합니다. 왜냐하면 그렇게 될 경우 담보책임에 의해서 재판의 결과가 뒤집혀 버리는 문제가 발생할 수 있기 때문입니다(김준호, 2017).

오늘은 공유물 분할과 담보책임에 대해서 알아보았습니다. 담보책임은 채권 파트에서도 굉장히 중요한 부분 중에 하나이므로, 여기서 혹시라도 이해가 안 간다고 하여도 부담 가질 필요는 없을 듯합니다. 나중에 어차피 채권 파트에서 다시 공부할 것이니까요.

드디어 '공유' 파트가 끝났습니다. 내일부터는 '합유'에 대하여 알아보도록 하겠습니다.

*참고문헌

김준호, 「민법강의(제23판)」, 법문사, 2017, 683면.

남효순, "담보책임의 본질론", 「서울대학교 법학」, 제34권3·4호, 1993, 207면.

제271조(물건의 합유)

①법률의 규정 또는 계약에 의하여 수인이 조합체로서 물건을 소유하는 때에는 합유로 한다. 합유자의 권리는 합유물 전부에 미친다.
②합유에 관하여는 전항의 규정 또는 계약에 의하는 외에 다음 3조의 규정에 의한다.

우리는 제262조에서 처음 '공동소유'에 관하여 시작할 때, [합유]라는 개념에 대해 간단하게 알아보았던 적이 있습니다. 해당 파트에 간단한 예시도 들어 두었으니, 기억이 안 나시는 분들은 잠시 복습하고 오셔도 좋겠습니다.

제271조제1항을 봅시다. 여기에 따르면 합유란 법률의 규정이나 계약에 의해서 여러 명의 사람이 '조합체'가 되어 물건을 소유하기로 하는 것을 말합니다. 흔히 우리가 일상에서 볼 수 있는 동업계약 같은 것이 바로 이러한 조합의 예시라고 한 바 있습니다.

그렇다면 이와 같은 합유관계는 2가지 이유로 탄생할 수 있습니다. 하나는 '법률의 규정'에 의해서 합유관계가 탄생하는 것입니다. 예를 들어 신탁법 같은 경우에는 수탁자가 여러 명인 경우 신탁재산은 수탁자들의 합유로 한다고 별도의 규정을 두고 있습니다. 지금은 신탁에 대해서 공부하는 것이 아니니, 그냥 법률에 적혀 있다는 이유로 합유가 되는 사례가 있다는 정도로만 이해하고 넘어가겠습니다.

다른 경우는 '계약'에 의해서 합유관계가 탄생하는 것인데요, 아마 여러분이 가장 친숙하게 이해할 수 있는 합유의 모습일 겁니다.

예를 들어 철수와 영희가 동업자가 되어 음식점을 경영하기로 계약을 맺고 돈을 투자한다면, 이 두 사람의 단체가 바로 조합이라고 할 수 있고, 철수와 영희는 각각 조합원이 되는 것입니다.

철수와 영희가 "우리는 조합이라는 게 뭔지도 모르는데요? 그런 거 만들 생각 없는데. 동업만 하면 되는데."라고 해도 상관없습니다. 두 사람이 맺은 계약의 성질이 조합 계약일뿐이고, 두 사람이 무슨 조합의 이름이나 이런 것을 정해서 허가신청을 해야 인정되는 것이 아니니까요. 두 사람은 그냥 현실에서의 동업관계인데, 법적으로 그렇게 해석할 뿐인 거니까 너무 예민하게 생각할 필요 없습니다.

철수와 영희의 조합체가 식당을 운영하기 위해 A라는 부동산을 매입하였다면, 그 때에는 합유등기라는 것을 합니다. 그러니까 A 부동산이 철수와 영희의 조합체에서 소유하고 있다는 것을 공시하고 있는 거죠. 예를 들자면 다음과 같이 등기하는 것입니다.

【갑 구】 소유권에 관한 사항				
순위번호	등기목적	접수	등기원인	권리자 및 기타사항
2	소유권 이전	2024년 6월 1일	2024년 5월 12일	소유자 나부자 750101-****

		제122호	매매	전라북도 익산시 ***
3	소유권 이전	2024년 12월 1일 제200호	2024년 11월 1일 매매	합유자 철수 610101-*** 전라북도 군산시 ** 영희 720401-*** 경상남도 함안군 **

참고로, 만약 철수와 영희가 합유등기를 하지 않고 각각의 명의로 공유등기를 하는 경우에는 그 등기는 무효가 됩니다. 이 부분은 명의신탁과도 관련된 부분인데, 대법원은 "이러한 등기는 조합체가 합유등기를 하지 아니하고 그 대신 조합원들 명의로 각 지분에 관하여 공유등기를 하였다면, 이는 그 조합체가 조합원들에게 각 지분에 관하여 명의신탁한 것으로 보아야 한다"라고 하면서, 「부동산 실권리자명의 등기에 관한 법률」 제4조제2항 본문에 따라 무효라고 보았던 바 있습니다(대법원 2002. 6. 14. 선고 2000다30622 판결). 지금은 명의신탁이나 부동산실명법에 대해 따로 살펴보지 않았으므로, 그냥 조합체의 재산인 부동산은 합유등기를 해야 한다는 정도만 이해하고 넘어가셔도 되겠습니다.

어쨌거나 계약에 따라 합유관계가 만들어졌다면, 그 다음부터는 계약서에서 적은 대로 하면 됩니다. 예를 들어 철수와 영희가 동업해서 음식점을 경영할 때 각자 어떤 부분을 담당하기로 하고, 수익은 6:4로 가져가기로 한다든가 하는 내용을 정했다면, 그에 따르면 되는 겁니다. 당사자들끼리 OK 한 것이 있으면 굳이 법률이 개입할 필요가 없지요. 물론 우리가 [총칙]에서 공부했듯이 계약서에 반인륜적이거나 너무 문제되는 조항이 있으면 무효가 되겠죠? (민법 제103조 참고)

제271조제2항도 그런 내용을 담은 겁니다. 원칙적으로 계약할 때 서로 정한 대로 따르되, 계약서에서 깜빡 적지 않은 사항 같은 것이 있다면 그런 경우에는 제272조부터 제274조까지의 규정에 따르도록 한다는 것입니다.

오늘은 합유에 대해서 간단하게 맛을 보았습니다. 내일부터는 합유물의 처분 등에 대해서 본격적으로 공부하도록 하겠습니다.

제272조(합유물의 처분, 변경과 보존)

합유물을 처분 또는 변경함에는 합유자 전원의 동의가 있어야 한다. 그러나 보존행위는 각자가 할 수 있다.

제272조를 살펴보도록 하겠습니다. 먼저 본문을 볼까요? 본문에서는 합유물을 처분하거나 변경하는 경우, 합유자 전원의 동의가 필요하다고 말합니다(처분 및 변경의 의미에 대해서는 이미 공부하였습니다. 기억이 잘 안 나는 분들은 제264조 부분을 복습하고 오시면 좋을 듯합니다). 따라서 합유자 전원이 동의하지 않았는데 합유물을 팔아 버린 경우, 그 매매는 무효가 됩니다.

참고로 우리가 공유물 처분에 대해서 공부할 때에도, 공유자는 다른 공유자의 동의 없이 공유물을 처분할 수 없다고 공부했었습니다(제264조). 얼핏 보기에 합유물 처분에서도 다른 사람 동의가 있어야 하니까 비슷해 보이긴 합니다만, 그 효과에서는 좀 차이가 있습니다.

제264조 부분을 복습하고 오시면 아시겠지만, 동의 없이 공유물을 처분한 경우 적어도 그 매매계약은 처분을 맘대로 해버린 공유자의 지분 범위 내에서는 유효하고 지분 범위를 벗어난 부분에서 무효가 되는 것이 됩니다.

반면 오늘 공부하는 제272조의 경우, 합유물이 동의 없이 처분된

경우에는 매매계약 자체가 무효가 되는 것입니다.

이런 차이가 나는 이유는 공유지분과 합유지분의 차이에 기인하는데요, 내일 공부할 제273조를 알고 나면 더 이해가 쉽게 가실 것이니 일단은 여기서 넘어가도록 하겠습니다.

제264조(공유물의 처분, 변경) 공유자는 다른 공유자의 동의없이 공유물을 처분하거나 변경하지 못한다.

제272조 단서에서는 본문에도 불구하고 보존행위의 경우에는 합유자 각자가 (전원의 동의 없이 혼자서도) 할 수 있다고 되어 있습니다. 제265조를 공부할 때 공유물의 경우에도 보존행위는 각자가 할 수 있다고 했던 것과 유사한 형태입니다.

제265조(공유물의 관리, 보존) 공유물의 관리에 관한 사항은 공유자의 지분의 과반수로써 결정한다. 그러나 보존행위는 각자가 할 수 있다.

따라서 이렇게 정리하시면 되겠습니다. (1)공유관계와 합유관계 모두 목적물의 처분·변경은 각 개인이 마음대로 할 수 없다, (2)다만 동의 없이 물건을 처분한 경우의 법률관계는 조금 차이가 난다, (3)그리고 보존행위는 공유자든 합유자든 각자가 할 수 있다, 라는 것입니다. 다소 과하게 단순화한 감이 있지만 이 정도로 이해하고 넘어가겠습니다.

그런데 제272조를 공부할 때면 민법 교과서마다 빠지지 않고 등장하는 논점이 있습니다. 여기서도 한번 언급해 볼까 합니다. 저희가 합유에 대해 처음 공부할 때 '조합'이라는 것에 대해 알아보았는데요, 합유의 개념 자체가 여러 사람이 조합체를 이루어 물건을 함께 소유하는 형태라고 공부했었습니다.

*조합과 합유는 개념적으로는 구분하셔야 합니다. 동의어가 아니기 때문입니다. 조합은 쉽게 생각하면 사업을 공동으로 경영하기 위해 만들어진 단체이고요, 조합계약은 바로 그러한 조합을 만들어낸 계약입니다('조합'이라는 단어가 '조합계약'을 의미하는 경우도 있습니다만, 헷갈리니까 여기서는 '조합'과 '조합계약'으로 구분하겠습니다). 합유는 공동소유의 형태 중 하나를 말하는 것입니다. 개념을 명확히 구별하여 이해하시기 바랍니다. 이 구별이 왜 중요한지는 후술하는 제706조와의 관계에서 알게 되실 것입니다.

우리 민법에서는 '조합'에 대해서 따로 규율하고 있습니다. 우리가 지금 공부하고 있는 [물권] 편(제2편)을 넘어가면 [채권] 편(제3편)을 공부하게 되는데요, 제3편에서는 [계약]의 장(제2장)에서 다양한 형태의 계약에 대해서 세밀하게 규정하고 있습니다. 이러한 제2장의 바로 제13절이 [조합] 입니다. 제703조부터 조합의 개념을 정의하면서 시작하고 있지요.

제703조(조합의 의의) ①조합은 2인 이상이 상호출자하여 공동사업을 경영할 것을 약정함으로써 그 효력이 생긴다.
②전항의 출자는 금전 기타 재산 또는 노무로 할 수 있다.

그런데 민법 제13절을 읽다 보면 “뭔가 이상한데?” 싶은 부분이 나옵니다. 바로 제706조인데요, 한번 읽어 봅시다.

제706조(사무집행의 방법) ①조합계약으로 업무집행자를 정하지 아니한 경우에는 조합원의 3분의 2 이상의 찬성으로써 이를 선임한다.
②조합의 업무집행은 조합원의 과반수로써 결정한다. 업무집행자 수인인 때에는 그 과반수로써 결정한다.
③조합의 통상사무는 전항의 규정에 불구하고 각 조합원 또는 각 업무집행자가 전행할 수 있다. 그러나 그 사무의 완료전에 다른 조합원 또는 다른 업무집행자의 이의가 있는 때에는 즉시 중지하여야 한다.

제706조제2항을 봅시다. 업무집행자라는 말이 나오는데 간단하게만 알아보면, 조합이 2명 정도면 상관없지만 수십여 명의 사람으로 구성된 경우에는 항상 모두가 참여해서 의사결정을 하는 것이 오히려 비효율적일 수 있습니다. 그래서 조합원 중에 업무집행을 하는 조합원을 따로 두는 경우가 많습니다. 그게 업무집행자입니다.

어쨌건 제2항에 의하면 조합의 업무집행(특별사무)은 조합원의 과반수로 정한다고 합니다(통상사무의 경우 제706조제3항에 따름).

그런데 조합이 가진 물건은 '합유물'이잖아요? 그리고 합유물을 처분하거나 변경하는 것도 조합의 중요한 업무 중에 하나인 것은 분명하고, 우리 대법원은 이를 특별사무로 보아 제2항을 적용하고 있습니다.

합유물의 처분·변경은 조합의 업무집행이니까 제706조제2항 본문에 따르면 조합원의 과반수로 결정하여야 할 것인데, 우리가 방금 공부한 제272조에서는 합유자 전원(조합인 경우 조합원 전원)의 동의가 필요하다고 하고 있습니다. 그렇다면 제272조와 제706조제2항의 규정은 서로 충돌하는 것이 아닐까요?

이에 대해서 학설의 다툼이 있었습니다만 모두 알아보기는 분량상 어렵고, 판례의 입장만 알아보겠습니다.

대법원은 "민법 제272조에 따르면 합유물을 처분 또는 변경함에는 합유자 전원의 동의가 있어야 하나, 합유물 가운데서도 조합재산의 경우 그 처분·변경에 관한 행위는 조합의 특별사무에 해당하는 업무집행으로서, 이에 대하여는 특별한 사정이 없는 한 민법 제706조 제2항이 민법 제272조에 우선하여 적용되므로, 조합재산의 처분·변경은 업무집행자가 없는 경우에는 조합원의 과반수로 결정하고, 업무집행자가 수인 있는 경우에는 그 업무집행자의 과반수로써 결정하며, 업무집행자가 1인만 있는 경우에는 그 업무집행자가 단독으로 결정한다."(대법원 2010. 4. 29. 선고 2007다18911 판결)라고 합니다.

즉, 우리 대법원은 일반적인 합유물의 경우는 제272조를 적용하지만, 조합재산인 합유물이라면 제706조제2항을 제272조보다 우선하여 적용한다는 입장을 취하고 있는 것입니다(박동진, 2022).

따라서 (판례에 따른다면) 조합의 재산을 처분·변경할 때에는 비록 그것이 합유물이기는 해도 제272조가 아니라 제706조가 적용됩니다. 즉 업무집행자가 없는 경우에는 조합원의 과반수로 결정하고요, 업무집행자가 따로 있는 경우에는 업무집행자가 결정하고, 업무집행자가 여러 명인 경우에는 그 사람들의 과반수로 정하게 됩니다.

"뭐야, 그럼 제272조는 괜히 공부했네."

이렇게 생각하실 수도 있겠지만, 꼭 그렇지는 않습니다. 왜냐하면 합유관계 중에서도 민법 제13절 [조합]의 규정이 적용되지 않는 경우가 존재하기 때문입니다.

예를 들어 신탁법이 적용되는 합유관계의 경우에는 민법상 조합에 관한 규정이 적용되지 않기 때문에 당연히 제706조와 제272조 간의 충돌 문제가 없고요, 제272조가 적용되게 됩니다(지원림, 2013).

법률 규정의 적용과 관련된 부분인데, 조합에 관한 규정과 합유에 관한 규정이 민법에 따로 존재한다는 사실을 인지하시고 '합유'와 '조합'의 개념을 명확히 이해하시면 덜 헷갈릴 것입니다.

내일은 합유지분의 처분에 대해서 공부하도록 하겠습니다.

*참고문헌

지원림, 「민법강의(제11판)」, 홍문사, 2013, 644면.

박동진, 「물권법강의(제2판)」, 법문사, 2022, 264-265면.

제273조(합유지분의 처분과 합유물의 분할금지)

①합유자는 전원의 동의없이 합유물에 대한 지분을 처분하지 못한다.
②합유자는 합유물의 분할을 청구하지 못한다.

어제 합유물의 처분에 대해 알아보면서 '합유지분'은 '공유지분'과는 그 성질이 좀 다르다고 말씀드렸습니다. 어떤 부분이 다른지 볼까요? 바로 제273조를 보시면 됩니다. 제273조제1항은 합유자가 합유지분을 다른 모든 합유자의 동의 없이 함부로 처분하지 못하도록 정하고 있습니다. 이건 공유지분과는 명백히 다른 측면입니다.

> 제263조(공유지분의 처분과 공유물의 사용, 수익) 공유자는 그 지분을 처분할 수 있고 공유물 전부를 지분의 비율로 사용, 수익할 수 있다.

공유지분과는 상당히 다르죠? 공유지분의 경우, 공유자는 자유롭게 자신의 지분을 처분할 수 있었습니다. 그러나 합유지분은 그렇지 않습니다. 즉, '들어올 땐 네 맘대로지만 나갈 땐 아니란다' 입니다. 왜 이렇게 하는 것일까요?

그건 합유는 개인이 아닌 '조합체'가 물건을 소유한다는 독특한 관계에서 발생하는 것이기 때문입니다. 합유의 경우 조합체의 목적과 단체성에 의해서 합유지분도 영향을 받을 수밖에 없고, 그냥 개인이 아니라 조합체를 구성하는 일원으로서의 법적 지위가 있기 때

문에 이러한 제한을 두는 것입니다.

예를 들어 철수와 영희가 음식점을 함께 경영하기로 하고 동업계약을 했다면, 철수는 단순히 음식점의 물건 중 절반에 대한 지분을 가진 소유자가 아니라 영희의 '동업자'이기도 합니다.

그런 철수가 음식점의 국자나 주방, 시설 등에 대한 권리 중 절반을 남에게 팔아 버리면서, '동업자'의 지위는 함께 넘기지 않으면 그건 이상한 모양새가 될 것입니다. 그렇다고 무려 동업자가 바뀌게 되는 상황인데 그걸 다른 동업자의 동의도 없이 가능하게 하기도 좀 이상하지요. 즉, 합유지분은 조합원의 자격과 분리하여 마음대로 처분할 수 없습니다.

한편, 제273조제2항에서는 합유자는 합유물의 분할을 청구할 수 없다고 합니다. 이것도 공유물의 경우와 좀 다릅니다. 제268조를 다시 상기해 볼까요?

제268조(공유물의 분할청구) ①공유자는 공유물의 분할을 청구할 수 있다. 그러나 5년내의 기간으로 분할하지 아니할 것을 약정할 수 있다.
②전항의 계약을 갱신한 때에는 그 기간은 갱신한 날로부터 5년을 넘지 못한다.
③전2항의 규정은 제215조, 제239조의 공유물에는 적용하지 아니한다.

공유물의 경우에는 공유자가 언제든 공유물을 쪼갤 것을 청구할 수 있었습니다. 그러나 합유물은 그렇지 않습니다. 왜 안될까요?

일단 분할을 마음대로 허용하게 되면 조합은 조합인데 재산이 없는 조합이 생겨버릴 수 있습니다. 조합이라는 게 본질적으로 "함께 사업을 해보자"라고 하여, 조합원 모두가 각자 출자의무를 지는 것입니다. 그냥 "우리 언젠가 함께 일해보자."가 아니라 정말 경제적인 부담(의무)을 지는 진지한 사이라는 겁니다. 그러니 재산이 없는 조합이라는 것은 상정하기 어렵습니다(김준호, 2017). 그런 일이 일어나서는 안됩니다. 그래서 마음대로 분할 청구를 하게 두지는 않고 있는 것입니다.

참고로, 공유의 경우, 공유자 사망 시 지분의 상속이 가능하고, 상속인이 없는 경우에는 민법 제267조에 따라 처리됩니다. 그런데 합유의 경우에는 다릅니다.

합유자가 사망하는 경우, 대법원은 "부동산의 합유자 중 일부가 사망한 경우 합유자 사이에 특별한 약정이 없는 한 사망한 합유자의 상속인은 합유자로서의 지위를 승계하지 못하므로, 해당 부동산은 잔존 합유자가 2인 이상일 경우에는 잔존 합유자의 합유로 귀속되고 잔존 합유자가 1인인 경우에는 잔존 합유자의 단독소유로 귀속된다."라고 합니다(대법원 1996. 12. 10. 선고 96다23238 판결).

이는 특별한 약정이 없는 한 합유자의 지위가 상속인에게 바로 넘

어가지 않는다는 점, 즉 상속이 되지 않는다는 것을 지적한 것입니다(합유지분의 상속성 부정). 합유와 공유 사이에 이와 같은 차이점이 있다는 것을 기억해 두시기 바랍니다.

"그러면 조합원인 철수가 갑자기 사망하게 된다면, 상속인인 철수의 아들은 조합으로부터 아무것도 못 받고 그냥 끝인가요?"

그렇지는 않습니다. 합유자의 지위가 승계되지 않는다는 것일 뿐, 철수의 아들은 나중에 공부할 민법 제719조에 따라 지분반환청구권은 갖게 됩니다.

제719조 (탈퇴조합원의 지분의 계산)①탈퇴한 조합원과 다른 조합원간의 계산은 탈퇴당시의 조합재산상태에 의하여 한다.
②탈퇴한 조합원의 지분은 그 출자의 종류여하에 불구하고 금전으로 반환할 수 있다.
③탈퇴당시에 완결되지 아니한 사항에 대하여는 완결후에 계산할 수 있다.

오늘은 합유지분의 처분과 합유물의 분할에 대해 공부하였습니다. 내일은 합유의 종료에 대해서 알아보겠습니다.

*참고문헌

김준호, 「민법강의(제23판)」, 법문사, 2017, 689-690면.

제274조(합유의 종료)

①합유는 조합체의 해산 또는 합유물의 양도로 인하여 종료한다.
②전항의 경우에 합유물의 분할에 관하여는 공유물의 분할에 관한 규정을 준용한다.

공유에 대해 공부할 때 공유관계가 끝나는 몇 가지 방법이 있다고 했습니다. 합유관계 역시 마찬가지로, 시작과 끝이 있습니다. 제274조제1항은 합유가 조합체의 해산과 합유물의 양도로 종료된다고 합니다.

먼저 조합체의 해산은 쉽게 생각할 수 있는 원인입니다. 철수와 영희가 음식점을 함께 경영하기로 하고 출자를 하여 조합체를 만들었는데, 두 사람이 사업을 종료하게 되었다면 조합체는 해산하는 것이고 조합체가 없다면 합유도 의미가 없습니다. 합유관계는 종료됩니다.

합유물의 양도 역시 충분히 납득이 가는 원인입니다. 철수와 영희가 함께 운영하던 음식점을 그냥 남에게 팔아 버리기로 하고 통째로 나부자에게 팔아 버렸다면, 이제 음식점은 나부자의 단독 소유가 되는 것이고 더 이상 음식점에 대한 합유관계는 존재하지 않습니다.

만약 철수와 영희가 함께 음식점 경영을 하다가 그 음식점에 있던 테이블만 몇 개 나부자에게 팔아 버린다면(일부만 판다면), 남은 물

건들에 대해서는 철수와 영희의 합유관계가 지속되지만 적어도 팔리는 테이블은 이제 나부자의 단독 소유가 될 것이므로 팔린 물건 그 자체에 대해서는 합유관계가 종료한다고 볼 것입니다.

제2항에서는 합유가 조합체의 해산이나 합유물 양도로 종료되는 경우, 그 합유물의 분할에 있어서는 공유물 분할에 관한 규정을 준용하도록 하고 있습니다. 왜 공유물 분할을 준용하느냐 하면, 합유관계가 끝난 경우 그 소유관계는 이제 공유관계와 다를 바가 없기 때문입니다. 따라서 그 합유물의 분할 방법, 효과 등에 대해서는 공유물 분할에 대한 규정을 따라해도(?) 괜찮은 거죠(김준호, 2017). 따라서 조합체가 성립되었던 계약이나 합유자 전원의 합의로써 결정하게 됩니다. 그런 것들이 없다면, 합유지분의 비율에 따라서 합유물을 분할하면 됩니다(최준규, 2019).

오늘은 합유관계의 종료에 대해 알아보았습니다. 이것으로 드디어 합유에 대한 파트가 끝났습니다. 내일부터는 공동소유에 관한 마지막 형태, '총유'에 대해 시작해 보도록 하겠습니다.

*참고문헌

김준호, 「민법강의(제23판)」, 법문사, 2017, 691면.

김용덕 편집대표, 「주석민법 물권2(제5판)」, 한국사법행정학회, 2019, 101면(최준규).

제275조(물건의 총유)

①법인이 아닌 사단의 사원이 집합체로서 물건을 소유할 때에는 총유로 한다.
②총유에 관하여는 사단의 정관 기타 계약에 의하는 외에 다음 2조의 규정에 의한다.

오늘부터는 물건의 총유를 알아보겠습니다. 우리는 예전에 민법의 총칙 파트에서 법인에 대해 공부한 적이 있었습니다. 기억이 잘 안 나시는 분들은 민법 제31조부터 법인에 관련된 조문들을 리마인드 차원에서 한번 읽어 보세요.

그런데 사람이 모여서 만든 단체가 법인만 있는 것은 아닙니다. 우리가 총유를 공부하기 전에 알아 두어야 할 중요한 개념이 하나 있습니다. 바로 '법인 아닌 사단'입니다.

일반적으로 사람이 모여 만든 단체로서 '사단'의 실질은 갖추고 있지만, 법인으로서의 정식 설립등기는 받지 않은 단체가 있는데 이를 '법인 아닌 사단' 혹은 '비법인사단'이라고 합니다(여기서는 '비법인사단'으로 통일하여 부르도록 하겠습니다). 법인 아닌 사단이라는 단어는 민법 제275조에서 처음 등장합니다.

그러면 비법인사단은 어떤 조건을 갖춰야 비법인사단이라고 부를 수 있는 것일까요? 친구 2명이서 떡볶이를 먹으러 가기로 했다

고 해서 그 순간 비법인사단이라고 인정해 줄 수는 없는 노릇입니다. 비법인사단의 성립요건에 대해서 학설이 여러 가지가 있기는 하지만, 대체로 다음의 2가지 요건은 공통적으로 제시하고 있는 것으로 보입니다(송오식, 2013).

1. 단체로서의 조직을 갖추어야 한다.

단체의 의사를 결정하고, 대외적으로 그 의사를 표시하고 대표행위를 하려면 기관이 필요합니다. 따라서 의사결정기관이나 대표자 같은 기관을 단체로서 갖추고 있어야 할 것입니다.

2. 대표의 방법, 총회의 운영, 재산의 관리 등 주요 사항이 정관 등에 의하여 확정되어 있어야 한다.

대표자는 그냥 마음대로 친구들끼리 뽑고, 총회도 없고, 재산도 없으면 그건 그냥 친구들 몇 명이 모인 술 모임과 다를 바가 없겠지요. 비법인사단이 되기 위하여는 정관과 같은 내부 규칙에 의해서 단체 운영에 필요한 중요한 사항들이 미리 정해져 있어야 할 것입니다.

그럼 이제 비법인사단의 개념과 성립요건에 대해 알아보았으니, 비법인사단은 과연 어떤 특징을 갖는지 알아볼까요? 이 내용을 알아야 우리가 비로소 총유를 공부하기 위한 기초를 다졌다고 할 수 있으므로, 피곤하시더라도 짚고 넘어가도록 하겠습니다.

비법인사단의 경우, 법인이 아니면서도 사람들이 모여 '단체성'을 가진다는 점에서 일반적인 법인이나 조합과는 다른 특수성을 보이는데요, 우리 법제에 따르면 다음과 같은 법적 지위를 인정받고 있습니다(이동선, 2019).

1. 비법인사단은 권리능력이 없다.

우리는 민법 총칙에서 자연인과 법인에 대해 공부하면서, 자연인과 다르게 특별히 법인격을 부여하는 존재로서 법인을 공부하였습니다. 법인격을 준다는 것 자체가 큰 의미가 있기 때문에, 그 절차와 요건 역시 까다롭다고 했습니다.

이걸 반대로 생각해 보면, 그러한 절차를 거치지 않은 법인 아닌 사단이라면 법인격이 인정되지 않는다는 의미가 됩니다. 따라서, 비법인사단은 법인과 달리 권리능력이 없습니다. 그런 의미에서 비법인사단을 '권리능력 없는 사단'이라고 부르는 경우도 있습니다.

그러면 이 지점에서 우리는 '총유'라는 제도가 왜 존재하는지 조

금이나마 이해할 수 있게 됩니다. 비법인사단은 권리능력이 없으니까, 권리와 의무의 주체가 될 수 없습니다. 따라서 어떤 땅이 있어도 그 땅을 '소유'할 수 없습니다. 소유권의 주체가 될 수 없으니까요.

그러나 현실에서는 많은 비법인사단이 있고, 이들이 재산을 실제로 관리하고 있는데 이런 현실을 깡그리 무시해 버리기는 힘들지요. 그래서 우리 민법은 총유라는 공동소유의 형태를 만들어 냄으로써 비법인사단의 법률관계를 규율하고 있는 것입니다.

다만, 여기에 대해서는 비판하는 견해도 있습니다. 비법인사단도 권리능력을 인정할 필요가 있으며, 민법에 따른 총유 제도는 사문화된 것이나 다름없다는 학계의 주장도 있습니다(임상혁, 2013). 이러한 비판에 대해 관심 있는 분들은 관련 문헌을 찾아 참고하여 보시기 바랍니다.

2. 비법인사단은 당사자능력이 있다.

위에서 권리능력은 없다고 했는데 이제는 당사자능력은 있다고 합니다. 아마 익숙하지 않은 개념이실 텐데 민사소송법에서 주로 다루어지는 개념이므로 어색한 것은 당연합니다.

단순히 생각하면, 당사자능력이란, 소송에 따른 '당사자'가 될 수 있는 능력을 말합니다. 당사자능력이 없는 자를 상대로는 소송을 제

기할 수 없으므로, 소송법상으로는 중요한 문제입니다.

우리 「민사소송법」은 원칙적으로 특별한 규정이 없으면 민법에 따라 당사자능력을 부여하도록 하고 있습니다(「민사소송법」 제51조). 그러니까 사실 민법상 권리능력이 인정되면 자연스레 당사자능력도 인정이 됩니다. 피와 살을 가진 우리 자연인들, 그리고 법인들은 권리능력이 인정되니까 당사자능력도 당연히 인정이 되는 것입니다.

민사소송법

제51조(당사자능력 · 소송능력 등에 대한 원칙) 당사자능력(當事者能力), 소송능력(訴訟能力), 소송무능력자(訴訟無能力者)의 법정대리와 소송행위에 필요한 권한의 수여는 이 법에 특별한 규정이 없으면 민법, 그 밖의 법률에 따른다.

“어라, 그러면 권리능력이 없는 비법인사단은 당연히 당사자능력도 없는 것 아닌가요?” 이렇게 생각하실 수 있습니다.

그런데 이 지점에서 문제가 생깁니다. 실제로 비법인사단이 현실에 넘쳐나고, 이들이 현실적으로는 분명 땅도 갖고 있고 돈도 갖고 있는데 이런 단체와 법적인 분쟁이 발생했을 때 그 단체를 상대로 소송을 제기할 수조차 없다면 어떨까요? 실제로 상당한 문제가 발생할 것입니다.

그래서 우리의 민사소송법은, 비록 비법인사단의 권리능력은 인정할 수 없더라도 예외적으로 당사자능력은 인정할 수 있도록 특별한 규정을 두고 있습니다(「민사소송법」제52조). 따라서 아래 조문에 의하면 비법인사단도 대표자나 관리인이 있는 경우에는 당사자가 될 수 있게 됩니다.

민사소송법

제52조(법인이 아닌 사단 등의 당사자능력) 법인이 아닌 사단이나 재단은 대표자 또는 관리인이 있는 경우에는 그 사단이나 재단의 이름으로 당사자가 될 수 있다.

또한 우리의 「부동산등기법」에 따르면 비법인사단이 직접 그 단체의 명의로 부동산등기도 할 수 있다고 하고 있으니 참고하시기 바랍니다.

부동산등기법

제26조(법인 아닌 사단 등의 등기신청) ① 종중(宗中), 문중(門中), 그 밖에 대표자나 관리인이 있는 법인 아닌 사단(社團)이나 재단(財團)에 속하는 부동산의 등기에 관하여는 그 사단이나 재단을 등기권리자 또는 등기의무자로 한다.

② 제1항의 등기는 그 사단이나 재단의 명의로 그 대표자나 관리인이 신청한다.

3. 비법인사단에는 사단법인에 대한 민법 규정을 유추적용한다.

비법인사단에 대해서는 민법상 [총유] 파트에서 고작 3개의 조문으로 언급하고 있을 뿐입니다. 더 상세한 규율이 필요하지요. 하지만 비법인사단도 결국 사람이 모여 만든 단체이고, '사단'이기 때문에 법인격을 전제로 하지 아니한 규정에 대해서는 사단법인에 대한 규정을 유추적용할 수 있습니다.

그래서 사원 자격의 득실이나 총회의 운영, 대표의 방법 등 여러 다른 법률관계에서는 사단법인에 대한 규정을 유추해서 하면 됩니다. 물건의 소유관계에서는 총유 파트의 규정을 적용하면 되지요.

지금까지 비법인사단의 기초에 대해 살펴보았습니다. 그럼 현실에서 볼 수 있는 비법인사단의 예시는 무엇이 있을까요? 가장 대표적인 예가 바로 종중이나 교회, 재건축조합 등입니다. 종중은 한 번쯤 들어 보셨을 겁니다. 바로 [A 김 씨 B파 문중] 같은 것인데요, 종중의 경우 정식의 법인으로 존재하는 것은 아니나 나름대로 오랜 세월에 걸쳐 구축한 규약이 있고, 단체로서의 성격이 강하며 실제로 물건이나 토지를 관리하는 경우가 많습니다. 교회의 경우도 분명히 재산이 있습니다.

제275조제1항은 바로 비법인사단이 이러한 총유의 형태로 물건

을 공동 소유한다고 정하고 있습니다. 즉, 총유는 법인 아닌 사단이 그 스스로는 어떠한 물건을 단독 소유할 수 없기 때문에(권리능력이 없으므로) 단체의 구성원 모두가 공동으로 소유한다는 차원으로 만들어진 제도라고 하겠습니다.

그래서 부동산 같은 경우에는 부동산등기법상 비법인사단의 대표자가 등기신청을 해서 사단 이름으로 (대표자 이름과 함께) 등기부에 기록하게 되는데, 실제로는 법인의 단독 소유하고 크게 다를 바 없는 것 같은 모양새가 되기는 합니다. 뭐 법적인 성격은 '총유'라는 것이 중요하지요.

【표 제 부】 (1동의 건물의 표시)				
표시번호	접수	소재지번 및 등기번호	건물내역	등기원인 및 기타사항
1 (전1)	1999년 7월 26일	서울특별시 영등포구 B동	철근콘크리트조 4층 1층 310.33㎡ 2층 310.33㎡ 3층 310.33㎡ 4층 310.33㎡	
【갑 구】 소유권에 관한 사항				
순위번	등기목적	접수	등기원	권리자 및 기타사항

호			인	
1 (전1)	소유권 이전	1999년 7월 10일 제111호	1999년 7월 1일 매매	소유자 Z 김씨 Y파 종중, 123456 서울시 영등포구 C동 대표자 김철수 621101-******* 서울시 관악구 D동 111-1
1-1	1번 등기 명의인 표시변경	2000년 8월 5일 제112호	2000년 8월 1일 대표자 변경	김철수의 성명(명칭) 김민수 등록번호 111111 주소 서울시 관악구 E 동 111-1

이제 제275조제2항을 보겠습니다. 제2항에서는 총유에 관하여 우선은 비법인사단의 정관 등 규약에 정한 사항이 있을 때에는 그에 따르고, 정함이 없을 때에 비로소 제276조와 제277조를 적용하도록 하고 있습니다. 따라서 민법상 총유에 관한 규정들은 일종의 보충적인 규정이라고 할 수 있을 것입니다.

참고로 덧붙이자면, '사단'과 '조합'은 다릅니다. 사단이건 조합이

건 사람이 모여서 만들었다는 공통점은 있지만요. 보통 비교하기를, 조합은 각각 조합원의 개성이 중시되고 단체성이 약한 반면(철수와 영희가 음식점을 공동으로 경영한다면, 두 사람의 개성은 매우 중시되어야 할 것입니다), 사단은 모임 그 자체로서의 단체성이 강하고 각각의 구성원의 개성이 상대적으로 덜 중시되는 집단이라고들 합니다. 따라서 사람이 모여서 만든 결합체에는 사단과 조합이 있고, 그중 사단은 사단법인과 법인이 아닌 사단(비법인사단)으로 나눌 수 있다고 할 것입니다.

그러면 구체적으로 '단체성'이 더 강하고 약한지는 어떻게 판단할까요? 이에 대하여 우리의 판례는 "민법상의 조합과 법인격은 없으나 사단성이 인정되는 비법인사단을 구별함에 있어서는 일반적으로 그 단체성의 강약을 기준으로 판단하여야 하는바, 조합은 2인 이상이 상호간에 금전 기타 재산 또는 노무를 출자하여 공동사업을 경영할 것을 약정하는 계약관계에 의하여 성립하므로(민법 제703조) 어느 정도 단체성에서 오는 제약을 받게 되는 것이지만 구성원의 개인성이 강하게 드러나는 인적 결합체인 데 비하여 비법인사단은 구성원의 개인성과는 별개로 권리의무의 주체가 될 수 있는 독자적 존재로서의 단체적 조직을 가지는 특성이 있다 하겠는데 민법상 조합의 명칭을 가지고 있는 단체라 하더라도 고유의 목적을 가지고 사단적 성격을 가지는 규약을 만들어 이에 근거하여 의사결정기관 및 집행기관인 대표자를 두는 등의 조직을 갖추고 있고, 기관의 의결이나 업무집행방법이 다수결의 원칙에 의하여 행해지며, 구성원의 가입,

탈퇴 등으로 인한 변경에 관계없이 단체 그 자체가 존속되고, 그 조직에 의하여 대표의 방법, 총회나 이사회 등의 운영, 자본의 구성, 재산의 관리 기타 단체로서의 주요사항이 확정되어 있는 경우에는 비법인사단으로서의 실체를 가진다고 할 것이다."라고 합니다(대법원 1992. 7. 10. 선고 92다2431 판결).

즉 판례에 의한다면 조합과 비법인사단을 구별하는 기준으로는 의사결정기관이나 집행기관 같은 조직을 갖추고 있는지(조직성), 정관과 같은 고유의 규칙을 만들고 있는지, 구성원의 가입과 탈퇴가 얼마나 제약을 받는지 등 다양한 측면을 고려하여야 할 것입니다.

똑같은 사람의 모임이지만,
우리는 조합원의 개성이 중요해.

비법인사단

조합

우리는 단체성이 더 중요하지.
정관도 있고 조직이 잘 갖춰져 있어.

오늘은 비법인사단과 총유의 개념에 대해서 조금은 길게 알아보았습니다. 나름대로 중요한 개념이기 때문에 그냥 넘어갈 수는 없어 내용이 길어졌는데요, 내일은 총유물의 관리와 처분 등에 대해서 공부하도록 하겠습니다.

*참고문헌

송오식, "법인 아닌 사단의 법적 지위와 규율", 「동아법학」 제58호, 2013, 479면.

이동선, 「법인 아닌 사단의 공시방안에 관한 연구」, 사법정책연구원, 2019, 20-27면.

임상혁, "법인이 아닌 사단의 민사법상 지위에 관한 고찰", 「서울대학교 법학」 제54권제3호, 2013, 199-200면.

제276조(총유물의 관리, 처분과 사용, 수익)

① 총유물의 관리 및 처분은 사원총회의 결의에 의한다.
② 각 사원은 정관 기타의 규약에 좇아 총유물을 사용, 수익할 수 있다.

어제 우리는 비법인사단(법인 아닌 사단)이 물건을 소유하는 관계를 '총유'라고 해서 알아보았습니다. 오늘은 총유물의 관리 및 처분에 대해서 알아볼 것인데요, 총유물 역시 물건이니만큼 처분할 때도 있고, 관리가 필요하기도 합니다.

*전에 제265조를 공부할 때, '관리'란 [처분 및 변경]의 정도까지는 이르지 않는 것으로서, 물건을 이용·개량하는 행위라고 했던 적이 있습니다. 기억이 잘 안 나시면 복습하고 오셔도 좋습니다.

제276조제1항은 총유물의 처분행위나 관리행위에 대해서는 사원총회의 결의에 의한다고 정합니다. 그런데 어제 우리가 공부한 제275조제2항에서는 총유에 관하여 사단의 정관 또는 그 밖의 규약에 먼저 따른다고 되어 있었기 때문에 제275조제2항과 제276조제1항을 함께 고려하면, 정관이나 규약에 정해진 바에 따라서 총유물의 관리와 처분을 하되, 그런 사항이 (정관이나 규약에) 정해지지 않았을 때에는 사원총회에서 결정하는 대로 한다고 해석하여야 할 것입니다.

우리가 공유와 합유에서 공부했던 것과 같은 '지분'의 개념이 총유에는 없습니다. "나는 김 씨 문중의 일원 300명 중 한 명으로서 문중 재산의 300분의 1에 해당하는 지분을 갖고 있지." 이런 말은 틀린 말입니다.

예를 들어 서울 김 씨 대왕파 종중에서 A 토지를 총유하고 있다고 합시다. 등기도 되어 있습니다. 대왕파의 대표는 김철수(73세)이고, 대왕파 종중에는 종중원으로 총 300명이 등록되어 있습니다. 그런데 철수는 A 토지의 가치가 향후 매우 떨어질 것으로 예상하고 종중의 미래를 위하여 그 땅을 처분하려고 합니다.

이 경우 철수는 자신이 종중 대표자라고 해서 마음대로 땅을 팔아서는 안 되고, 정관이나 규약에 따라 처분을 하여야 합니다. 이에 정해진 바가 없으면 철수는 300명의 종중원을 대상으로 총회를 열어야 합니다.

만약 정관에 종중원 과반수 참석에 과반 찬성이 요건으로 되어 있다면, 철수는 최소 151명의 종중원이 참석한 총회에서 76명 이상의 찬성표를 받아야 할 것입니다. 이러한 정당한 절차를 거치지 않고 대표자가 마음대로 총유물을 처분하는 경우 그 처분행위는 무효가 됩니다.

우리의 판례 역시 "종중 소유의 재산은 종중원의 총유에 속하는 것이므로 그 관리 및 처분에 관하여 먼저 종중 규약에 정하는 바가

있으면 이에 따라야 하고, 그 점에 관한 종중 규약이 없으면 종중 총회의 결의에 의하여야 하므로 비록 종중 대표자에 의한 종중 재산의 처분이라고 하더라도 그러한 절차를 거치지 아니한 채 한 행위는 무효이다."라고 하여 같은 입장입니다(대법원 2000. 10. 27. 선고 2000다22881 판결).

*다만, 학설 중에는 '무효'임을 주장하는 판례의 근거를 비판하면서 종중 대표자가 총회 결의 없이 종중재산인 부동산을 처분하는 경우 무권대리로서 무효가 되고, 단지 표현대리의 요건이 갖추어진 경우에만 유효라고 보아야 한다고 보는 견해도 있습니다(김학동, 2011). 관심있는 분들은 참고문헌을 확인하시기 바랍니다.

제276조제2항에서는 각 사원이 정관이나 규약에 정한 대로 총유물을 사용하고 수익할 수 있다고 정하고 있습니다. 자연스럽게 조문 그대로 이해할 수 있는 내용입니다.

참고로 하나 더 알아둘 것이 있습니다. 공유나 합유의 경우, 민법에 보존행위에 대한 규정이 있습니다. 우리가 이미 살펴본 내용들입니다. 공유물의 경우 보존행위는 공유자 각자가 할 수 있고(제265조 단서), 합유물도 합유자 각자가 할 수 있는 것으로 되어 있습니다(제272조 단서). 그런데 특이하게도 총유물의 보존행위에 대해서는 민법에서 별다른 규정이 없습니다. 그럼 총유물의 보존행위는 도대

체 어떻게 해야 하는 걸까요?

이에 대해서 대법원은, "공유나 합유의 경우처럼 보존행위는 그 구성원 각자가 할 수 있다는 민법 제265조 단서 또는 제272조 단서와 같은 규정을 두고 있지 아니한바, 이는 법인 아닌 사단의 소유형태인 총유가 공유나 합유에 비하여 단체성이 강하고 구성원 개인들의 총유재산에 대한 지분권이 인정되지 아니하는 데에서 나온 당연한 귀결이라고 할 것이므로 총유재산에 관한 소송은 법인 아닌 사단이 그 명의로 사원총회의 결의를 거쳐 하거나 또는 그 구성원 전원이 당사자가 되어 필수적 공동소송의 형태로 할 수 있을 뿐 그 사단의 구성원은 설령 그가 사단의 대표자라거나 사원총회의 결의를 거쳤다 하더라도 그 소송의 당사자가 될 수 없고, 이러한 법리는 총유재산의 보존행위로서 소를 제기하는 경우에도 마찬가지라 할 것이다."라고 합니다(대법원 2005. 9. 15. 선고 2004다44971 전원합의체 판결).

판결문에 나오는 필수적 공동소송 같은 개념은 아직 공부하지 않은 것이므로 지금은 넘어가셔도 좋습니다. 일단은 학설과 판례가 총유물의 보존행위는 공유물이나 합유물과는 달리 그 특성상 구성원 각자가 단독으로 할 수는 없고, 사원총회의 결의를 거쳐야 한다고 본다는 점(박동진, 2022), 그 정도만 대략 이해하고 지나가시면 되겠습니다.

오늘은 총유물의 처분 및 관리 등에 대하여 알아보았습니다.

내일은 총유물에 대한 사원의 권리의무에 관하여 공부하도록 하겠습니다.

*참고문헌

김학동, "총유물의 처분행위", 「서울법학」 제19권제2호, 2011, 233-234면.

박동진, 「물권법강의(제2판)」, 법문사, 2022, 268-269면.

제277조(총유물에 관한 권리의무의 득상)

총유물에 관한 사원의 권리의무는 사원의 지위를 취득상실함으로써 취득상실된다.

제277조는 표현이 조금 생소합니다. 조의 제목은 권리의무의 '득상'(得喪)이라고 되어 있는데, 이는 '얻을 득'에 '죽을 상'의 한자로서 권리의무의 취득과 상실을 뜻하는 말입니다. 득상이라는 단어도 일상에서는 거의 쓰이지 않는 만큼 추후 민법 개정 시에는 표현을 바꿀 필요가 있다고 하겠습니다.

어쨌거나 제277조에 의하면 총유물에 관한 사원의 권리와 의무는 사원의 지위를 얻거나 잃어버림으로써 얻거나 잃어버리게 된다고 합니다. 사실 이 내용은 이해하기 편한 측면이 있는데요, 애초에 사원이라는 지위(예를 들어 종중의 종중원)가 있기 때문에 물건을 총유하는 관계에 참여하는 것입니다. 따라서 더 이상 사원의 지위를 가지고 있지 않다면, 총유물을 사용하거나 수익할 수도 없다고 보는 것이 논리상 자연스럽습니다.

오늘은 총유물의 권리의무의 취득 또는 상실에 대해 알아보았습니다. 내용이 간단해서, 이 정도로 넘기도록 하고 내일은 준공동소유에 대해 공부하도록 하겠습니다.

제278조(준공동소유)

본절의 규정은 소유권 이외의 재산권에 준용한다. 그러나 다른 법률에 특별한 규정이 있으면 그에 의한다.

오늘은 준공동소유라는 것을 공부하겠습니다. '준'이라는 말(어떤 것에 준한다)에서 대략 어떤 의미인지 추측이 되실 것입니다.

사실 우리가 지금까지 공부한 공동소유의 형태(공유, 합유, 총유)는 물건의 소유권에 관한 것이었습니다. 1명의 사람이 1개의 물건을 소유한다는 기초적인 개념(단독소유)에서 출발해서, "만약 여러 명이 1개의 물건을 소유한다면 어떻게 될까?"라는 질문에 대답해 가는 과정이었지요.

그런데 소유권이 아닌 경우에도 여러 명이 그 권리를 가지는 사례가 있을 수 있습니다. 바로 이러한 형태를 '준공동소유'라 하여 제278조에서 규정하고 있는 것인데요, 예를 들어 보겠습니다.

철수는 사업을 하다가 급히 돈이 필요해졌습니다. 그래서 평소 친하게 지내던 영희와 민수를 찾아갔습니다. 영희와 민수는 철수의 사정이 안타깝지만 거액의 돈을 그냥 빌려줄 수는 없다고 합니다. 그래서 철수는 자신이 소유한 땅을 담보로 하여 돈을 빌리기로 합니다. 소위 땅에 '저당' 잡은 게 되는 겁니다. 이렇게 영희와 민수가 하나의 저당권을 받는 경우 그 저당권을 영희와 민수가 준공동소유한

다고 할 수 있을 것입니다. 이러한 경우 저당권은 '소유권이 아닌 물권'에 해당함에도 불구하고 제278조에 의하면 공동소유에 관한 규정을 준용할 수 있습니다.

제278조에서 말하는 '소유권 이외의 재산권'에 이론상 당연히 채권도 포함되는 것이나, 사실 우리 민법은 여러 명이 얽힌 채권채무관계에 대해서 별도로 규율하고 있어(채권편 제1장 제3절, [수인의 채권자 및 채무자], 민법 제408조 이하), 제278조 단서에서 말하는 "다른 법률에 특별한 규정"이 있는 것(특칙)으로 보는 게 학계의 태도인 듯합니다(김준호, 2017). 따라서 채권에 대해서는 보통 제278조에 따르기보다 채권편의 다수당사자 채권관계에 대한 조문을 적용하게 됩니다.

드디어 공동소유에 관한 모든 조문을 훑어보았습니다. 내일부터는 드디어 새로운 내용, 꽤 중요한 물권 중 하나인 [지상권]부터 시작해 보도록 하겠습니다.

*참고문헌

김준호, 「민법강의(제23판)」, 법문사, 2017, 695면.

Part 4.

제4장, 지상권

제279조(지상권의 내용)

지상권자는 타인의 토지에 건물 기타 공작물이나 수목을 소유하기 위하여 그 토지를 사용하는 권리가 있다.

마침내 우리는 어제 제278조까지 공부하여, 물권편(제2편) 제3장 [소유권]을 완료하였습니다. 오늘부터는 물권편의 네 번째 장, [지상권]을 시작합니다.

지상권(地上權)이란, 한자를 직역하자면 '땅 위에 관한 권리' 정도가 되겠습니다. 제279조는 지상권을 "다른 사람의 땅에 건물, 공작물, 수목(樹木: 나무)을 소유하기 위하여 그 땅을 사용할 권리"로 정의하고 있습니다. 이게 구체적으로 무슨 뜻일까요?

예를 들어 보겠습니다. 철수는 양지바른 땅 1,000평의 소유자입니다. 그리고 그 땅 위에는 10층짜리 건물이 하나 서 있는데, 그 건물의 소유자는 영희입니다.

이 경우, 영희는 자신의 건물을 남의 땅 위에 갖고 있는 셈이 됩니다. 영희는 건물에 세를 주든지, 아니면 자신이 직접 사용하든지 해서 어떻게든 이익을 볼 수 있습니다. 그런데 철수는 영희의 건물이 자기 땅 위에 있기 때문에, 그 땅을 이용해서 다른 걸 하고 싶어도 할 수가 없습니다. 이대로 가면 철수만 손해를 보게 되는 것이지요.

그래서 이러한 경우 영희와 철수 사이에 지상권설정계약을 맺고,

영희(지상권자)가 철수(지상권설정자)의 땅 위에 존재하는 건물(타인의 토지에 건물)을 소유하기 위하여 그 땅을 사용할 수 있는 권리를 정하게 됩니다. 그리고 영희는 지상권에 따른 대가로 사용료를 철수에게 (계약에 정해진 대로) 지급하면 됩니다. 이를 지료(地料)라고 하며, 흔히 '땅세'라고도 부릅니다.

이렇게 되면 영희는 비록 남의 땅 위에 건물을 갖고 있기는 하나 땅주인(철수)의 허락을 받아 자유롭게 건물을 쓸 수 있으니 좋고, 철수는 비록 자기 땅 위에 남의 건물이 있기는 하나 땅세를 받아먹을 수 있기 때문에 서로 윈윈이 됩니다.

땅은 당연히 부동산이고, 우리가 앞서 공부하였듯 부동산 물권 변동의 효력은 등기하여야 효력이 발생하므로, 철수와 영희 사이에 체결된 지상권설정계약도 등기가 완료되어야 지상권이 성립하게 된다는 점 잊지 마세요(제186조).

제186조(부동산물권변동의 효력) 부동산에 관한 법률행위로 인한 물권의 득실변경은 등기하여야 그 효력이 생긴다.

참고를 위하여 지상권설정등기 신청서 양식을 예시로 첨부하면 다음과 같습니다(어디까지나 예시이므로 실제 사용되는 양식은 다를 수 있습니다).

지상권설정등기신청

<table>
<tr><td rowspan="2">접 수</td><td>년 월 일</td><td rowspan="2">처 리 인</td><td>등기관 확인</td><td>각종 통지</td></tr>
<tr><td>제 호</td><td></td><td></td></tr>
<tr><td colspan="5">① 부동산의 표시</td></tr>
<tr><td colspan="5">서울특별시 서초구 서초동 100대 300㎡이 상</td></tr>
<tr><td colspan="2">②등기원인과 그 연월일</td><td colspan="3">2017년 4월 3일 설정계약</td></tr>
<tr><td colspan="2">③ 등 기 의 목 적</td><td colspan="3">지상권설정</td></tr>
<tr><td colspan="2">④ 설 정 의 목 적</td><td colspan="3">철근콘크리트조 건물의 소유</td></tr>
<tr><td colspan="2">⑤범 위</td><td colspan="3">토지 전부</td></tr>
<tr><td colspan="2">⑥ 존 속 기 간</td><td colspan="3">2017년 4월 3일부터 30년</td></tr>
<tr><td colspan="2">⑦ 지 료</td><td colspan="3">월 금500,000원</td></tr>
<tr><td colspan="2">⑧ 지 료 지 급 시 기</td><td colspan="3">매월 말일</td></tr>
<tr><td>구분</td><td>성 명
(상호·명칭)</td><td>주민등록번호
(등기용등록번호)</td><td colspan="2">주 소 (소 재 지)</td></tr>
<tr><td>⑨ 등 기 의</td><td>이 대 백</td><td>700101-1234567</td><td colspan="2">서울특별시 서초구 서초대로88길 20(서초동)</td></tr>
</table>

무 자			
⑩ 등 기 권 리 자	김 갑 동	801231-1234567	서울특별시 서초구 서초대로88길 10, 가동 101호(서초동, 샛별아파트)

⑪ 등 록 면 허 세	금 200,000원	
⑪ 지 방 교 육 세	금 40,000원	
⑪ 농 어 촌 특 별 세	금 원	
⑫ 세액합계	금 240,000원	
⑬ 등기신청수수료	금 15,000원	
	납부번호 : 12-12-12345678-0	
	일괄납부 : 건 원	
⑭ 등기의무자의 등기필정보		
부동산고유번호	1102-2006-002095	
성명(명칭)	일련번호	비밀번호

<table>
<tr><td>이대백</td><td>A77C-LO71-35J5</td><td>40-4636</td></tr>
<tr><td colspan="3">⑮ 첨 부 서 면</td></tr>
<tr><td>. 지상권설정계약서 1통
. 등록면허세영수필확인서 1통
. 등기신청수수료 영수필확인서 1통
. 주민등록표초본(또는 등본) 1통
~~. 도면(토지의 일부인 경우) 통~~
~~. 위임장 통~~</td><td colspan="2">~~. 등기필증 통~~
. 인감증명서나 본인서명사실확인서 또는 전자본인서명확인서 발급증 1통
〈기 타〉</td></tr>
<tr><td colspan="3">2017년 5월 26일
위 신청인 이 대 백 □ (전화 : 010-1234-5678)
김 갑 동 □ (전화 : 010-5678-1234)
(또는)위 대리인 (전화:)

서울중앙 지방법원 등기국 귀중</td></tr>
</table>

출처: 대법원 인터넷등기소 등기신청양식(예시)

여기서 기초지식을 좀 다지고 가야 할 듯합니다. 우리가 처음 물권을 공부할 때, 물권이란 물건에 대한 권리라고 했습니다. 반면 채권은 어떤 사람이 다른 사람에게 어떤 행위를 청구할 수 있는 권리이므로 물권과는 다릅니다. 물건과의 관계를 다루는 물권과 달리, 채권은 사람 간의 관계를 다루기 때문입니다. 물론 둘 다 '재산권'에 해당한다는 공통점은 있습니다.

또한, 물권의 경우 법률이나 관습법에 의하지 않고는 마음대로 만들 수 없다고 하였던 것을 기억하시나요? (제185조) 제185조를 배울 당시에는 내용이 번잡해질까 봐 상세히 다루지 않았지만, 여기서는 본격적으로 물권의 종류에 대해서 알아보도록 하겠습니다.

제185조(물권의 종류) 물권은 법률 또는 관습법에 의하는 외에는 임의로 창설하지 못한다.

제185조에서 말하는 '법률과 관습법'에 의해서 현재 대한민국에서 인정되는 '물권'의 종류는 크게 8가지라고 할 수 있습니다. 크게는 '점유권'과 '본권'으로 나눌 수 있습니다. 본권의 의미에 대해서는 전에 공부한 적이 있었습니다(제192조 부분 참조). **점유권**은 물건의 사실상 지배라는 상태에 대해서 인정해 주는 권리입니다. 다만 점유권은 점유를 정당화하는 권리는 아니며, 점유할 수 있는 권리로서 점유권과 구별되는 것을 본권이라고 한다고 하였습니다.

본권은 우리가 지금까지 열심히 공부한 '소유권'과 '제한물권'으로 나뉘는데요, 소유권의 경우 이제 익숙하실 테니 넘어가겠습니다. 제한물권이란, 말 그대로 물권은 물권인데 어떤 부분이 좀 제한되는 물권입니다.

소유권의 경우 개념이 단순 명쾌합니다. "내가 A라는 물건의 소유자라면, 나는 이 물건을 처분할 수도, 부술 수도, 내가 마음대로 사용할 수도, 남에게 빌려줄 수도 있다"는 것이지요. 소유권이란 그만큼 절대적인 권능을 포함하고 있습니다.

반면, 제한물권은 그렇지 않습니다. 물건에 대한 권리기는 한데 나사가 하나씩 빠져(?) 있습니다. 대표적인 것이 바로 우리가 방금 공부한 '지상권'입니다.

위의 사례에서 철수의 땅을 사용하고 있는 영희는 '땅'이라는 물건에 대해서 권리를 가지고 있지만(물권), 소유권을 가진 것은 아니고 단지 그 땅에 자신의 건물을 굴릴 수 있는 권리를 가졌을 뿐입니다. 그러니까 영희는 절대 철수의 땅을 자기 마음대로 팔아 버릴 수 없는 것입니다. '소유권'이 없으니까요.

이처럼 나사가 하나씩 빠진 제한물권은 크게 2종류로 분류합니다. 하나는 물건이 가진 사용가치를 지배하려는 목적을 가진 물권입니다. 앞서 본 지상권이 바로 여기에 해당한다고 할 수 있겠지요. 영희는 남이 소유한 땅 그 자체를 가지려는 것이 아니라, 그 땅을 잠시 빌려 쓰려는 것 아니겠습니까? 그러니까 그 땅의 사용가치를 지배하려는 의도라고 할 수 있지요. 이러한 형태의 제한물권을 한자어로 용익물권(用益物權)이라고 부릅니다.

한편, 제한물권 중에는 사용가치가 아니라 물건이 갖는 교환가치의 지배하려는 목적을 가진 물권이 있습니다. 대표적인 예가 바로 저당권입니다. 저당권의 경우 우리가 정식으로 공부한 적은 없지만 지금까지 여러 차례 예시로 등장하여서 아마 익숙하실 텐데요. 남한테 돈을 빌리면서 담보로 자신의 땅을 저당 잡히는 경우 내게 돈을 빌려준 사람은 내 땅에 저당을 잡은 저당권자가 되는 것입니다.

이러한 저당권은 땅의 사용가치를 이용하려는 것이 아닙니다. 저당권자는 사실 그 땅이 어떻게 생겼는지도 몰라도 됩니다. 그냥 그 땅의 값어치를 담보로 삼아 자신의 채권을 안전하게 하려는 것이지요. 이와 같이 채권의 담보를 위해서 교환가치를 지배하는 형태의 제한물권을 한자어로 담보물권(擔保物權)이라고 부릅니다.

지금까지 공부한 물권의 종류를 표로 도식화하면 다음과 같이 나타낼 수 있을 것입니다.

오늘 우리가 공부한 지상권은 '물권'이며, 그중에서도 제한물권으로서 '용익물권'에 해당합니다. 또한 본권에 해당하기 때문에 지상권자는 당연히 땅을 '점유할 권리'도 가집니다. 이와 같이 물권의 기초에 대한 논의를 통하여, 지상권에 대해 더 많은 내용을 이해하실 수 있게 되었으리라 생각합니다.

지상권은 2가지 방법에 의해서 성립합니다. 하나는 위의 사례에서와 같이 사람 간의 법률행위(지상권설정계약이나 지상권 자체를 다른 사람에게서 사들이는 행위 등)와 등기를 통해서 성립하는 것이고, 다른 하나는 따로 계약과 같은 법률행위가 없더라도 법률의 규정에 의해서 자동으로 지상권이 성립하는 것입니다. 후자의 경우를 법정지상권(法定地上權)이라고 하며, 추후에 중요하게 다룰 예정입니다.

*법정지상권을 규정하는 법률은 민법, 「입목에 관한 법률」, 「가등기담보 등에 관한 법률」 등이 있습니다. 그 외에도 관습상의 법정지상권과 분묘기지권도 있고요. 민법을 위주로 살펴보고 있는 만큼 이러한 법정지상권을 모두 다루기는 어렵겠으나, 관심이 있는 분들은 따로 검색하여 보시길 추천드립니다.

그런데 여기까지 공부하다 보면, 이런 질문을 하시는 분들이 있었습니다. “그럼 주변에 땅을 빌려 쓰는 사람들은 지상권자였던 거군요?”

대답은 지상권에 해당할 수도 있고 아닐 수도 있다, 입니다. 사실은 아닐 가능성이 큽니다. 왜냐하면, 우리 민법 하에서 남의 땅을 빌려 쓸 수 있는 제도가 2가지가 있기 때문입니다. 하나는 바로 오늘 공부한 지상권이고, 다른 하나는 바로 임차권입니다. 도대체 둘은 뭐가 다른 걸까요? 왜 이렇게 제도를 만들었을까요?

임차권은 임대차계약에 따른 권리로서 ‘채권’입니다. 물권이 아닙니다. 채권은 사람 간의 관계를 규율한다고 했죠? 예를 들어 다음과 같은 경우를 생각해 봅시다.

1. 철수가 자신의 땅을 영희에게 사용하도록 해 주고, 지상권설정계약을 한 후 영희(지상권자)로부터 땅세를 받는 경우
2. 나부자가 자신의 땅을 김흥부에게 사용하도록 해 주고, 임대차계약을 한 후 김흥부(임차인)로부터 임대료를 받는 경우

*다만, 지상권에서 지료를 받는지 여부는 성립요건이 아니므로 돈을 안 받는 지상권도 성립 가능합니다. 돈을 안 받는 사람이 있기는 하냐, 이렇게 생각하실 수 있는데 업계(?)에서 자주 쓰이는 방법으로 담보지상권의 경우에는 세를 받지 않는 지상권이 설정되기도 합니다. 이 부분은 본서의 범위를 넘는 것이므로 여기서는 말씀드리지 않겠습니다. 관

심 있는 분들은 검색해 보시길 추천드립니다.

만약 1번 케이스에서 철수가 사정이 생겨 자기 땅을 제3자에게 팔았다고 해봅시다. 영희는 지상권(물권)의 권리자이므로, 여전히 땅에 대한 자신의 권리(지상권)를 새로운 땅 주인에게 주장할 수 있습니다. 왜냐하면 주인은 바뀌었어도 땅을 그대로이고, 영희가 가진 권리는 '물건'에 대한 권리이지 '사람'에 대한 권리가 아니기 때문입니다.

그러나 2번 케이스에서는 얘기가 다릅니다. 만약 나부자가 땅을 제3자에게 팔았다면, 김흥부는 자신이 가진 임차권을 새로운 땅 주인에게 요구할 수 없습니다(토지임차권 등기 등과 같은 예외는 고려하지 않도록 하겠습니다).

채권은 '특정한 사람'에 대해 행위를 요구할 수 있는 권리이고, 김흥부가 가진 권리는 "나부자에게 그의 소유 땅을 빌려주도록 요구할 수 있는 권리"이므로 사람이 바뀌면 그 권리도 소용이 없어지는 것입니다. 새로운 땅 주인이야 이전 주인(나부자)이 무슨 조건으로 계약을 했건 알 바 아닙니다.

결국 토지소유자 입장에서는 1번과 2번 케이스 모두 세를 받는 것은 동일하다면, 굳이 지상권 제도를 사용할 이유가 없습니다. 혹시 자신이 돈이 필요해서 땅을 팔려고 해도, 지상권이 걸려 있으면 잘 안 팔릴 겁니다. 왜냐하면 지상권자는 주인이 바뀌어도 여전히 지상권을 주장할 수 있으니까요. 새 주인 입장에서는 기존 지상권자를 내쫓고 땅에 다른 걸 해보고 싶은데, 그렇게 못하게 되는 겁니다. 살 마음이 사라지겠죠.

그 외에도 지상권의 경우 임차권 제도에 비해서 토지소유자에게 불리한 규정들이 많습니다(구체적으로 어떤 부분이 불리한지는 차차 지상권에 대해 공부하면서 알아볼 것입니다).

결국 현실에서는 토지소유자들이 임차권을 내주지 지상권을 내주는 경우가 흔치 않고, 그래서 아까 현실적으로는 '지상권자가 아닐 가능성이 크다'라고 대답했던 것입니다. 물론 개인의 선택하는 것이므로 상황에 따라서는 임대차를 하지 않고 지상권설정계약을 하는 경우도 있긴 합니다.

오늘은 지상권 파트의 기초를 다지기 위해서 좀 길게 설명을 드렸습니다. 내일은 지상권의 존속기간에 대해 알아보도록 하겠습니다.

제280조(존속기간을 약정한 지상권)

① 계약으로 지상권의 존속기간을 정하는 경우에는 그 기간은 다음 연한보다 단축하지 못한다.

1. 석조, 석회조, 연와조 또는 이와 유사한 견고한 건물이나 수목의 소유를 목적으로 하는 때에는 30년
2. 전호이외의 건물의 소유를 목적으로 하는 때에는 15년
3. 건물이외의 공작물의 소유를 목적으로 하는 때에는 5년

② 전항의 기간보다 단축한 기간을 정한 때에는 전항의 기간까지 연장한다.

어제 우리는 지상권의 개념에 대해 간단히 알아보았습니다. 제280조는 지상권의 존속기간에 관한 내용입니다. 지상권은 건물, 공작물, 수목 등을 소유하기 위하여 남의 땅(토지)을 사용할 수 있는 물권입니다. 그런데 소유권은 영원한 것이지만, 지상권은 보통 기간에 한계가 있습니다.

제280조제1항은 '계약'으로 지상권의 존속기간을 정하는 경우에는 특정한 기간보다 더 '짧게' 잡을 수는 없도록 하고 있습니다. 즉 최소(minimum) 이 정도 기간은 지상권 존속기간을 정하여야 한다고 정하고 있는 것입니다. 다만, 제280조제1항에서 '계약'으로 지상권을 설정하는 경우라고 하고 있으므로 계약(법률행위)이 아니라 법률의 규정에 따라 지상권이 정해지는 경우는 따로 판단하여야 합니다. 이 부분은 나중에 또 이야기하는 것으로 하고, 그럼 그 최소의

존속기간은 대체 어느 정도인지 살펴보겠습니다.

먼저 석조, 석회조, 연와조 또는 이와 유사한 형태의 견고한 건물이나 수목의 소유를 목적으로 남의 땅을 이용하는 경우에는 최소기간이 30년입니다(제280조제1항제1호). 표현이 좀 어려운데 각각 석조=돌, 석회조=석회, 연와조=벽돌 정도로 이해하시면 됩니다. 튼튼하게 지어진 대부분의 건물이 여기에 해당할 것입니다.

다음으로는 제1호에서 정하는 건물 외의 건물인 경우에는 15년입니다(제280조제1항제2호). 제1호와 제2호를 어떻게 구분하냐, 이렇게 생각하실 수도 있는데 대부분 법률이라는 것이 그렇듯이 칼처럼 항상 나눌 수 있는 것은 아닙니다.

우리의 판례 역시 "민법 제280조 제1항 제1호가 정하는 견고한 건물인가의 여부는 그 건물이 갖는 물리, 화학적 외력, 화재에 대한 저항력 또는 건물해체의 난이도 등을 종합하여 판단하여야 한다." 라고 하고 있으니 참고하시기 바랍니다(대법원 1988. 4. 12. 선고 87다카2404 판결).

마지막으로 건물이 아닌 공작물의 경우에는 5년입니다(제280조제1항제3호).

그러면 제1항과 같은 규정에도 불구하고 사람들이 마음대로 계약서에 "돌로 만든 이 견고한 건물의 소유를 목적으로 하는 지상권의 존속기간은 2년으로 합니다"라고 적어 버리면 어떻게 될까요?

이런 경우에 대비해서 제2항이 존재합니다. 제2항에서는, 설령 당사자가 자기 마음대로 2년으로 정한다고 하더라도 제1항보다 짧은 기간은 용납하지 않으므로 30년(제1항에서 정한 기간)까지로 연장시켜 버린다고 규정하고 있습니다.

왜 이런 규정을 두고 있는 걸까요? 당사자가 그렇게 하겠다는데, 마음대로 하게 두면 안 되는 걸까요? 어제 지상권과 임차권에 대해 설명드릴 때 말씀드렸듯, 지상권 제도는 땅을 빌려 쓰는 사람의 권리를 크게 보호하는 측면이 강합니다. 다른 것도 아니고 땅 위에 존재하는 건물이나 수목 같은 것의 소유를 위하여 땅을 이용하는 권리이기 때문에, 우리 민법은 지상권자를 강하게 보호하려고 노력하고 있습니다. 왜냐하면 건물 같은 것들은 1~2년 쓰고 나서 허물고 없애 버리기가 쉽지 않기 때문이지요. 그래서 지상권자를 보호하는 차원에서 이러한 존속기간 제한 규정을 두고 있는 것입니다.

여기서 참고로, 제280조에서 정하는 존속기간의 제한은 지상권자가 그 소유의 건물 등을 건축하거나 수목을 식재하여 토지를 이용할 목적으로 지상권을 설정한 경우에만 적용된다는 점에 주의하셔야 합니다.

예를 들어 A 소유의 토지에 B가 지상권을 얻어 직접 연와조 건물을 짓고 사용한다면 제280조가 적용될 것(30년)입니다. 그러나 A 소유의 토지에 이미 존재하는 A 소유의 기존 건물을 단지 B가 사용하려는 목적으로 지상권을 얻은 경우라면, 이 경우는 30년의 최단

기간 제한에 걸리지 않는다는 것입니다(이런 지상권도 있을 수 있겠나 싶겠지만, 가능합니다). 즉, 30년 이하의 기간으로 지상권을 설정할 수도 있다는 것이지요. 판례도 같은 입장입니다(대법원 1996. 3. 22. 선고 95다49318 판결).

오늘은 지상권의 존속기간에 대하여 알아보았습니다. 내일은 존속기간을 정하지 아니한 경우에는 어떻게 해석하여야 하는지에 대해서 공부하겠습니다.

제281조(존속기간을 약정하지 아니한 지상권)

① 계약으로 지상권의 존속기간을 정하지 아니한 때에는 그 기간은 전조의 최단존속기간으로 한다.

② 지상권설정당시에 공작물의 종류와 구조를 정하지 아니한 때에는 지상권은 전조제2호의 건물의 소유를 목적으로 한 것으로 본다.

철수는 땅 소유자입니다. 영희는 그 땅 위에 건물을 하나 소유하고 있습니다. 땅주인과 건물주의 바람직한 조합이네요. 하지만 영희는 철수의 땅을 써야만 하기 때문에, 철수와 지상권 설정계약을 하기로 합니다. 철수는 지상권설정자, 영희는 지상권자가 되는 것이지요. 영희의 건물은 벽돌로 된 견고한 건물이기 때문에 제280조제1항제1호에 따라 최소 30년은 지상권을 보장받을 것입니다. 그런데 두 사람은 깜빡하고 기간을 계약서에 적는 것을 잊어버렸습니다.

이런 경우에는 어떻게 될까요? 기간을 안 썼다고 계약이 무효가 되는 것은 아니고, 제281조에 따라 해석하면 됩니다. 제1항은 계약으로 존속기간을 정하지 않은 경우에는 제280조에서 정하는 기간에 따르면 된다고 합니다. 즉, 위의 경우에는 계약서에 별다른 말이 없어도 30년으로 보게 되겠지요.

그런데 철수의 땅에 아직 아무런 건물도 없고, 그리고 그 땅위에 뭔가를 해보려는 영희 역시 견고한 건물인지 아니면 연약한(?) 건물을 지을지 애매한 상태라고 해봅시다. 이렇게까지 계약을 대충 할까

싶기는 한데, 철수와 영희는 어떤 건물을 지을 것인지도 정하지 않은 채 서명을 했습니다. 그러니까 이 경우는 당사자 간의 존속기간에 대한 합의도 없고, 합의 당시에 건물의 종류와 구조도 미확정된 상태였던 것입니다. 제280조제2항은 바로 이런 경우에 적용됩니다(박동진, 2022).

이 경우, 제281조제2항에서는 이렇게 해석합니다. 바로 전조제2호(사실 이건 잘못된 표기입니다. 제280조는 2개의 항으로 구성되어 있으므로, '전조제1항제2호'라고 써야 정확합니다. 향후 민법 개정 시 고쳐져야 할 부분이라고 봅니다)에 해당한다고 보는 것이지요. 즉, 존속기간을 15년으로 보겠다는 것입니다.

오늘은 존속기간을 계약에서 정하지 않은 경우에 대해 알아보았습니다. 내일은 지상권의 양도와 임대에 대해 공부하도록 하겠습니다.

*참고문헌

박동진, 「물권법강의(제2판)」, 법문사, 2022, 311면.

제282조(지상권의 양도, 임대)

지상권자는 타인에게 그 권리를 양도하거나 그 권리의 존속기간 내에서 그 토지를 임대할 수 있다.

지상권은 물권으로서 다른 사람에게 양도하거나 그 땅을 임대할 수 있습니다. 예를 들어 철수 소유의 땅에 영희가 건물을 하나 갖고 있고, 그 건물의 사용을 위한 지상권(견고한 건물의 소유를 위한 지상권)을 가지고 있다고 해봅시다. 영희는 그런데 철수에게 땅세(지료)를 내는 것도 벅차, 그냥 건물을 팔기로 했습니다.

이 경우 영희는 건물(지상물)만을 따로 팔 수도 있고, 건물은 그대로 자신의 소유물로 한 상태에서 지상권만을 따로 팔아 치울 수도 있습니다.

우리의 판례 역시 "지상권자는 지상권을 유보한 채 지상물 소유권만을 양도할 수도 있고 지상물 소유권을 유보한 채 지상권만을 양도할 수도 있는 것이어서 지상권자와 그 지상물의 소유권자가 반드시 일치하여야 하는 것은 아니며, 또한 지상권설정시에 그 지상권이 미치는 토지의 범위와 그 설정 당시 매매되는 지상물의 범위를 다르게 하는 것도 가능하다."라고 하여 지상물과 지상권을 따로 파는 것이 가능하다는 입장입니다(대법원 2006. 6. 15. 선고 2006다6126 판결).

다만, 건물만을 산 사람의 경우 임대차계약을 하건 다시 지상권계약을 하건 어떻게든 남의 땅(철수의 땅)을 사용할 권리를 확보하여야 하는 등 번거로운 측면이 있으므로 현실적으로는 따로 파는 경우는 드물고 지상물+지상권을 합쳐서 거래하는 경우가 더 많을 것으로 생각됩니다.

그런데 특수한 경우를 생각해 볼 수는 있습니다. 영희가 자신의 건물을 다른 사람에게 팔면서, 지상권에 대한 별다른 언급은 없이 매매계약을 해버린 것입니다. 이 경우 영희의 건물을 산 사람은 당연히 건물(지상물)만을 산 것으로 보아야 할까요?

비록 지상물(의 소유권)과 지상권을 따로 양도할 수 있다고는 하나, 지상물의 소유권을 넘기는 경우에는 암묵적으로 그 건물이 있는 땅을 사용하기 위한 권리까지 함께 넘기려는 의사표시가 있는 것으로 해석하는 게 타당하다는 것이 학계에서의 다수설입니다(김준호, 2017). 다만, 설령 그렇게 의사표시가 해석되더라도 지상권 역시 소유권과는 구별되는 물권이므로 부동산 물권변동의 효력에 관한 민법의 규정에 따라 '내가 새로운 지상권자다'라는 내용을 등기하여야 효력이 발생할 것입니다(지원림, 2013).

'따로 팔 수 있다'라는 것과 '따로 팔 수 있지만 지상물을 파는 경우에는 지상권도 같이 파는 것으로 해석된다', 그리고 '그렇게 해석되더라도 효력을 발생하기 위해서는 등기하여야 한다'라는 명제들이 함께 성립할 수 있다는 것을 천천히 이해하고 곱씹어 보시기 바랍니다.

제186조(부동산물권변동의 효력) 부동산에 관한 법률행위로 인한 물권의 득실변경은 등기하여야 그 효력이 생긴다.

마지막으로 제282조에 따르면 지상권자는 그 땅을 임대할 수가 있습니다. 예를 들어 지상권자인 영희는 그 지상권의 목적이 되는 철수의 땅을 다른 누군가에게 세 받고 빌려줄 수 있습니다.

"남의 땅을 왜 자기 마음대로 빌려줍니까?"

이렇게 분노하실 수 있겠지만, 가능합니다. 왜냐하면 지상권자인 영희의 지위는 단순한 임차인과는 다르기 때문입니다.

앞서 지상권 제도는 임대차 제도에 비해서 땅을 빌려 쓰는 사람을 크게 보호한다고 했었지요? 그 차이점이 제282조에서도 나타나는 것입니다. 임대차계약에 따라 남의 땅을 빌려 쓰는 임차인의 경우, 민법 제629조에 의하여 세 놓은 땅을 (임대인의 동의 없이) 마음대로 다시 세 놓을 수 없습니다.

그러나 지상권자는 제282조에 따라 마음대로 세를 놓는 것이 가능합니다. 왜 현실에서 땅 주인들이 어지간하면 지상권을 잘 안 내주려고 하는지, 이해가 가시나요?

제629조(임차권의 양도, 전대의 제한) ①임차인은 임대인의 동의없이

그 권리를 양도하거나 임차물을 전대하지 못한다.
②임차인이 전항의 규정에 위반한 때에는 임대인은 계약을 해지할 수 있다.

오늘은 지상권의 양도와 임대에 대하여 알아보았습니다. 내일은 지상권자의 갱신청구권에 대해서 알아보겠습니다.

*참고문헌

김준호, 「민법강의(제23판)」, 법문사, 2017, 729면.
지원림, 「민법강의(제11판)」, 홍문사, 2013, 676면.

제283조(지상권자의 갱신청구권, 매수청구권)

① 지상권이 소멸한 경우에 건물 기타 공작물이나 수목이 현존한 때에는 지상권자는 계약의 갱신을 청구할 수 있다.
② 지상권설정자가 계약의 갱신을 원하지 아니하는 때에는 지상권자는 상당한 가액으로 전항의 공작물이나 수목의 매수를 청구할 수 있다.

우리는 살면서 계약을 '갱신'한다는 말을 자주 듣습니다. 갱신이란, 존속기간이 끝나 소멸하게 될 계약을 다시 존속시키기로 하는 것을 말합니다. 지상권 설정계약 역시 계약의 일종이므로, 역시 갱신이 가능합니다. 사실 당사자(지상권 설정자, 지상권자) 간에 합의가 잘 이루어져 갱신을 하기로 한다면 제일 깔끔하고 좋겠지만, 서로 합의가 안 되는 경우도 있을 수 있습니다.

예를 들어 보겠습니다. 철수는 땅이 있습니다. 영희는 철수의 땅 위에 자기 소유 건물이 하나 있습니다. 철수는 영희와 지상권 설정계약을 맺었고, 영희는 지료로 매달 1천만원을 철수에게 납부하여 왔으며 지상권의 존속기간은 30년이라고 합시다.

계약 이후 30년이 지났습니다. 계약 종료가 다가오자 영희는 철수에게 "계약을 갱신하는 게 어때?" 이렇게 제안합니다. 그러나 철수는 그동안 영희가 하는 짓이 별로 마음에 들지 않아 계약을 갱신하고 싶지가 않습니다. 영희의 제안을 거절합니다.

그러면 영희는 어떻게 해야 할까요? 제283조제1항에 답이 있습니다. 제1항에서는 지상권이 소멸하는 경우에 건물, 공작물, 수목 등이 여전히 땅 위에 존재하고 있으면, 기존의 지상권자는 종전 계약의 갱신을 요구할 수 있는 권리(갱신청구권)을 행사할 수 있도록 규정하고 있습니다.

물론 이때의 갱신청구권은 지상권이 소멸하자마자 바로 행사하여야 하는 것으로 해석됩니다. 계약 끝나고 5년쯤 지나서 갑자기, "그동안 깜빡했는데, 이제 갱신청구권 행사할래." 이러는 것은 상식적으로 말이 되지 않으니까요. 권리 행사가 지체되면 갱신청구권은 소멸해 버립니다.

우리의 판례 역시, "지상권갱신청구권의 행사는 지상권의 존속기간 만료 후 지체 없이 하여야 하므로 피고가 지상권의 기간만료 후 상당한 기간 내에 이를 행사하였다는 점에 대하여는 아무런 주장 입증이 없고 단지 기간만료 후 4년 이상 경과한 이 사건 소송절차 진행중에 행사한 것에 불과한 피고의 갱신청구는 어차피 그 효력이 없을 뿐만 아니라, 피고가 적법하게 갱신청구권을 행사하였다 하더라도 갱신의 효력은 토지소유자인 원고들이 이에 응하여 갱신의 계약을 체결함으로써 비로소 생기는 것이지 행사로 인하여 바로 생기는 것은 아니므로, 원심의 위와 같은 잘못은 판결의 결과에 영향이 없다 할 것이다."라고 하여 같은 입장입니다(대법원 1995. 4. 11. 선고 94다39925 판결).

"아니, 내 땅 남에게 빌려줬는데 상대방이 땅 주인 상관없이 자기 마음대로 계약을 갱신할 수 있다고요? 공산주의 국가입니까?"

이렇게 분노하는 분이 충분히 있을 것으로 짐작됩니다. 일단 두 가지 포인트를 짚고 넘어갈 필요가 있습니다.

첫째, 모든 지상권 계약 종료에 대해서 갱신청구권이 전부 인정되는 것은 아닙니다. 학계에서는 제283조제1항의 갱신청구권은 오직 '기간 만료'로 인해 계약이 소멸하는 경우에만 적용된다는 의미로 해석합니다.

예를 들어 지상권자가 땅세를 오랜 기간 내지 않는다거나, 다른 계약사항 위반 등으로 계약이 해지되는 경우에는 제283조제1항이 적용되지 않으므로 갱신청구권도 행사할 수 없습니다. 또 지상권을 포기하거나 지상권이 소멸시효 등으로 소멸하는 경우에도 제283조제1항의 갱신청구권은 인정되지 않을 것입니다. 이러한 논리는 상식적으로 납득이 가는 내용입니다.

둘째, 갱신청구권을 행사한다고 해도 지상권 설정자가 그걸 100% 받아들여야 하는 것은 아니고 거절할 수도 있습니다.

"아니, 거절할 수도 있는 거면 굳이 왜 민법에 정해둔 겁니까? 그냥 갱신을 제안했다가 거절당하는 것과 다를 바가 없잖아요." 이렇게 생각하실 수도 있는데, 이런 경우 다른 수단이 있기 때문에 의미가 아예 없는 것은 아닙니다. 다른 수단이란 무엇이냐? 바로 제283

조제2항입니다.

영희는 자신의 갱신청구권이 철수에게 거절당하였을 때, 제2항에 따라 '상당한 가액으로' 땅 위에 있는 지상물을 철수가 사들일 것을 요구할 수 있습니다. 이것을 매수청구권이라고 합니다.

결국 정리하자면 영희는 지상권의 존속기간이 끝난 경우 "계약 갱신하자."라고 말할 수 있고(제1항에 따른 갱신청구권), 철수가 그 제안을 거절하는 경우 "그럼 어차피 네 땅 위에서 건물 못 굴릴 거, 내 건물 네가 사."라고 말할 수 있습니다(제2항에 따른 매수청구권). 헷갈릴 수 있지만 중요한 것은, 똑같이 '청구권'이라는 이름으로 되어 있지만 제1항에 따른 (갱신)청구권은 거절할 수 있는 것인 반면, 제2항에 따른 (매수)청구권은 거절할 수 없다는 점입니다.

이런 차이점은 제1항에 따른 '갱신청구권'은 형성권이 아닌 반면 제2항에 따른 '매수청구권'은 형성권에 해당하기 때문에 발생하는 것입니다. 우리는 예전에 형성권의 개념에 대해서 공부한 적이 있었습니다. 기억이 잘 안 나시는 분들은 [민법총칙] 편의 제162조 파트를 복습하시면 좋을 듯합니다.

이때 형성권이란 그 권리를 가진 자의 일방적인 의사표시만으로 권리의 변동을 가져오는 권리라고 했습니다. 대표적인 예로 미성년자가 계약을 했던 것을 취소하는 것과 같은 취소권이 있고요, 우리가 이미 공부했던 공유물분할청구권(제268조)도 형성권에 속한다고 했던 바 있습니다(해당 조문 파트 참조).

제268조(공유물의 분할청구) ①공유자는 공유물의 분할을 청구할 수 있다. 그러나 5년내의 기간으로 분할하지 아니할 것을 약정할 수 있다.
②전항의 계약을 갱신한 때에는 그 기간은 갱신한 날로부터 5년을 넘지 못한다.
③전2항의 규정은 제215조, 제239조의 공유물에는 적용하지 아니한다.

이처럼 실제로 법조문에 표현상 '청구권'이라고 해놓고도 실질적인 의미는 형성권으로 해석되는 경우가 있으므로 조문을 살펴볼 때에는 주의하셔야 합니다. 간판은 분식집으로 걸려 있지만 실질은 삼겹살집(?)으로 운영되는 것과 같습니다. 간판과 실제 영업을 항상 맞춰 주면 좋겠지만, 아쉽게도 법조문이 다 그렇게 친절하게 쓰여 있는 것은 아니므로 공부하는 사람이 거기에 맞추는 수밖에 없는 점 양해 바랍니다.

어쨌거나 철수는 제1항을 거쳐 제2항까지 넘어와 매수청구권을 행사한 영희를 더 이상 쳐낼 수 없게 됩니다. 영희의 매수청구권 행사에 따라 철수는 영희의 건물(지상물)을 상당한 가액에 사들여야 하고, 이러한 상황을 딱딱한 표현으로는 "영희는 철수에 대한 대금청구권을 갖게 되고, 철수는 영희의 건물에 대한 소유권이전청구권을 갖게 된다"라고 합니다(김준호, 2017).

"그러면 영희가 철수에게 가격을 맘대로 불러서 건물을 강제로 사게 만들 수 있는 겁니까? 남는 장사네요."

그건 아닙니다. 당연히 민법을 만든 사람들은 바보가 아니기 때문에, 제283조제2항에서는 '상당한 가액'으로 지상물을 매수할 것을 청구할 수 있도록 정해 두었습니다. 물론 '상당한 가액'이라는 것이 항상 명확한 것은 아니어서 판단이 필요하기는 합니다.

정리하자면, 형성권인 매수청구권의 행사로 지상권자의 권리 행사에 따라 매매계약이 성립하며, 매매가격은 매매계약이 성립한 시점에서의 시가를 기준으로 하면 될 것입니다(송덕수, 2022).

우리의 판례는 "민법 제643조에 의한 건물 매수청구권을 행사한 경우에 그 건물의 매수가격은 건물자체의 가격 외에 건물의 위치, 주변토지의 여러사정 등을 종합적으로 고려하여 매수청구권의 행사당시 건물이 현존하는 대로의 상태에서 평가된 시가라고 새겨진다."라고 하여(대법원 1987. 6. 23. 선고 87다카390 판결) 건물의 위치나 시가 같은 다양한 사정을 고려하여 가치를 평가하여야 한다고 보고 있습니다(물론, 이 판례는 민법 제643조에 관한 내용이기는 하지만 '상당한 가액'의 의미 자체에 대해서는 제283조제2항과 다르게 볼 필요가 없기 때문에 이 판례를 참고하셔도 좋습니다).

그러니까 10억원짜리 건물을 영희가 마음대로 100억원에 철수

에게 팔아치울 수는 없는 거지요.

마지막으로 한 가지만 더 짚고 넘어가겠습니다. 그렇다면 도대체 제283조와 같은 규정은 왜 두고 있는 걸까요? 참고로, 제283조는 강행규정입니다(제289조). 이런 조문을 둔 취지는 뭘까요?

지상권은 남의 땅 위에 건물이나 수목 등을 소유하기 위해서 존재하는 권리입니다. 즉, 지상권이 제대로 활용되고 있다면 그 토지 위에는 건물 등 무언가가 존재하고 있다는 뜻이겠죠. 제283조는 이와 같은 지상권이 어지간하면(?) 존속될 수 있도록 도와줌으로써 지상권자를 보호하고(갱신청구권), 지상권자가 이미 쏟아부은 투자금을 용이하게 회수할 수 있도록 해줍니다(매수청구권). 그렇게 함으로써 지상물이 손쉽게 막 철거되거나 없어지게 되는 것을 막을 수 있지요. 즉, 지상물이 갖는 사회경제적 효용을 최대한 유지할 수 있도록 하기 위한 것이 제283조와 같은 조문을 둔 취지인 것입니다(김수일, 2019).

너무 지상권자를 우선하여 보호해 주는 것이 아닌가 의문을 가질 수도 있습니다만, 지상권 자체가 물권으로써 강력한 힘을 갖고 있다는 점이나 건물과 같은 지상물을 철거하면 사회적으로 큰 낭비가 발생할 수도 있다는 점도 고려할 필요가 있을 것입니다.

오늘은 지상권 계약의 기간 만료 시 지상권자가 행사할 수 있는 갱신청구권과 지상물 매수청구권에 대해 알아보았습니다. 매수청구권이 형성권이라는 점 기억해 두시고요, 내일은 지상권의 갱신과 존속기간에 대해서 공부하겠습니다.

*참고문헌

김용덕 편집대표, 「주석민법 물권3(제5판)」, 한국사법행정학회, 47-48면(김수일).

김준호, 「민법강의(제23판)」, 법문사, 2017, 727면.

송덕수, 「신민법강의(제15판)」(전자책), 박영사, 2022, 565면.

제284조(갱신과 존속기간)

당사자가 계약을 갱신하는 경우에는 지상권의 존속기간은 갱신한 날로부터 제280조의 최단존속기간보다 단축하지 못한다. 그러나 당사자는 이보다 장기의 기간을 정할 수 있다.

어제 우리는 계약의 갱신에 대해서 알아보았습니다. 계약의 갱신은, 원래 있던 계약을 유지하기로 하는 당사자 간의 합의라는 점에서 독특한 것입니다(이때 갱신의 합의 자체는 계약 만료 후에만 가능한 것은 아니고 통상 계약 만료 전에도 가능합니다). 만약에 계약이 완전히 소멸하고 나서 새롭게 계약을 했다, 이거는 계약을 다시 한 것이라서 갱신과는 다른 것입니다.

제284조 본문에 따르면 지상권 설정계약을 갱신하는 경우에 지상권의 존속기간은 제280조에 규정되어 있었던 최단 존속기간보다 짧아서는 안됩니다(minimum의 개념인 겁니다). 이는 계약을 처음 맺을 때 뿐만 아니라 '갱신할 때'에도 지상권자를 보호하기 위한 민법의 취지가 담겨 있다고 하겠습니다.

제280조(존속기간을 약정한 지상권) ①계약으로 지상권의 존속기간을 정하는 경우에는 그 기간은 다음 연한보다 단축하지 못한다.

1. 석조, 석회조, 연와조 또는 이와 유사한 견고한 건물이나 수목의 소유를 목적으로 하는 때에는 30년
2. 전호이외의 건물의 소유를 목적으로 하는 때에는 15년

3. 건물이외의 공작물의 소유를 목적으로 하는 때에는 5년
②전항의 기간보다 단축한 기간을 정한 때에는 전항의 기간까지 연장한다.

따라서 견고한 건물 같은 지상물을 대상으로 하는 지상권 설정계약을 갱신하면서 그 기간을 예를 들어 '5년'으로 계약서에 써넣는다고 해도 실제로는 제280조제1항제1호에 정한 대로 30년이 적용됩니다(제280조제2항 참조). 물론, '40년'으로 적는 것은 상관없습니다. 어쨌건 30년만 넘기면 됩니다(제284조 단서).

만약 계약을 갱신하면서 존속기간에 대해 아무런 말이 없이 그냥 갱신을 해버렸다, 이런 경우에는 어떻게 될까요? 특별한 약정이 없으면 갱신된 계약의 내용은 종전의 계약과 같은 내용으로 추정할 것입니다. 그래서 종전 계약에서 40년으로 하고 있으면 갱신된 계약에 의해서도 4년으로 보게 됩니다(김수일, 2019).

오늘은 지상권의 갱신 시 존속기간을 어떻게 하여야 하는지에 대해 알아보았습니다. 내일은 수거의무와 매수청구권에 대해 공부하도록 하겠습니다.

*참고문헌

김용덕 편집대표, 「주석민법 물권3(제5판)」, 한국사법행정학회, 2019, 68면(김수일).

제285조(수거의무, 매수청구권)

①지상권이 소멸한 때에는 지상권자는 건물 기타 공작물이나 수목을 수거하여 토지를 원상에 회복하여야 한다.

②전항의 경우에 지상권설정자가 상당한 가액을 제공하여 그 공작물이나 수목의 매수를 청구한 때에는 지상권자는 정당한 이유없이 이를 거절하지 못한다.

지상권 역시 영원불멸의 권리는 아니기 때문에 이유가 있으면 소멸할 수 있습니다. 예를 들어, 계약서상의 중요한 내용을 위반한다든가 하는 사유로도 소멸할 수 있습니다.

이렇게 지상권이 소멸한 경우에는 어떻게 될까요? 지상권자는 더 이상 남의 땅을 자신의 건물 등 소유를 위하여 사용할 수 없게 됩니다. 사용할 수 없으므로, 이제는 땅 소유자가 자기 땅을 마음대로 쓸 수 있도록 땅 위에 있는 물건들을 치워 주어야 합니다. 그것이 바로 제285조제1항에서 말하는 수거의무 및 원상회복의무입니다. 땅 주인 입장에서는 당연한 내용이지요.

그런데 때로는 땅 위에 있는 건물, 공작물 같은 것을 수거하는 것이 오히려 더 서로에게 안 좋은 결과일 수도 있습니다. 예를 들어, 땅 주인은 자기 땅 위에 어차피 건물 두고 세 받을 생각이 있었습니다. 그렇다면 땅 주인 입장에서는 이미 있는 건물을 애써 때려 부수고 다시 건물을 올리는 것보다, 건물 주인(종전의 지상권자)에게 건

물을 매입하는 것이 훨씬 경제적일 수 있습니다.

이러한 사회경제적 비용을 고려하여, 제285조제2항에서는 지상권설정자(땅 주인)가 상당한 가액을 제시하여 건물, 공작물이나 수목을 팔라고 제시하면, 지상권자는 정당한 이유 없이는 이를 거절하지 못하도록 정하고 있습니다. 따라서 땅 주인은 자기 땅 위에 있는 건물을 부수고 다시 지을 것 없이 건물을 적정한 가격에 사들여서 자신이 운영하면 됩니다. 이를 매수청구권이라 합니다.

똑같이 매수청구권이라는 이름이 붙어서 헷갈리지만, 우리가 제283조제2항에서 공부했던 매수청구권과는 차이가 있으니 구별하셔야 합니다. 제283조제2항에서의 매수청구권은 '지상권자'가 행사할 수 있는 권리였고요, 제285조제2항에서의 매수청구권은 '지상권설정자'가 행사할 수 있는 권리입니다.

둘 다 형성권이라는 공통점은 있지만, 차이도 있습니다. 제283조는 (앞서 공부했던 대로) 존속기간의 경과로 지상권이 소멸하는 경우에만 적용되는 한정적인 조문입니다(그래서 제283조제2항의 매수청구권도 존속기간의 경과로 지상권이 소멸하는 경우에 적용됩니다).

반면, 제285조제2항의 매수청구권은 지상권이 시효로 소멸하거나 계약사항 위반 등으로 소멸하는 등 지상권이 소멸하는 모든 경우에 적용된다는 장점이 있습니다. 모처럼(?) 토지소유자의 이익을 보호하기 위한 규정이니 잘 기억하시면 좋겠습니다.

제283조(지상권자의 갱신청구권, 매수청구권) ①지상권이 소멸한 경우에 건물 기타 공작물이나 수목이 현존한 때에는 지상권자는 계약의 갱신을 청구할 수 있다.
②지상권설정자가 계약의 갱신을 원하지 아니하는 때에는 지상권자는 상당한 가액으로 전항의 공작물이나 수목의 매수를 청구할 수 있다.

또한, 제285조제2항의 매수청구권은 형성권이기는 하지만 단순히 의사표시만으로는 부족하고, '상당한 가액의 제공'이 있어야 한다고 봅니다(박동진, 2022). 이는 제285조제2항에서 명시하고 있는 조건입니다.

왜 상당한 가액의 제공이 있어야 할까요? 우선, 지상권설정자의 매수청구권 행사가 항상 100% 먹힌다고 해석할 수는 없습니다. 예를 들어 건물이 20억원 정도 하는 것인데, 지상권설정자가 2억원에 사겠다고 했으면 그런 제안은 상식적으로 지상권자 입장에서도 거절할 수 있도록 해야 할 것입니다. 제285조제2항에서 '상당한 가액'의 의미는 제283조에서와 유사하므로 그 부분을 참조하시면 되겠습니다.

추가로, 제285조제2항은 지상권자가 '정당한 이유'가 있으면 이를 지상권설정자의 매수청구를 거절할 수도 있다고 정하고 있습니

다. 여기서 말하는 '정당한 이유'에는 무엇이 있을까요? 예를 들어 지상권자가 지상권 계약 기간이 끝날 즈음 땅 주인이 아닌 다른 사람에게 건물을 비싸게 팔기로 계약했다고 한다면, 굳이 그 계약을 깨면서까지 지상권설정자에게 건물을 팔도록 지상권자에게 강요할 수는 없을 것입니다.

*학계의 다수 견해는 앞서 말씀드린 바와 같이 지상권설정자의 매수청구권을 형성권으로 보고 있습니다. 그러나 이에 대해서는 소수설의 반박도 있습니다. 다수 견해에서는 형성권으로서 매수청구권을 행사하면 매매계약이 성립하고, 다만 정당한 이유 등에 기하여 지상권자가 매수청구를 거절하는 경우에는 매매의 효력이 소급적으로 소멸하게 된다고 해석합니다. 소수설에서는 이러한 해석에 반대하면서, 여기서의 매수청구권은 형성권이 아닌 청구권으로 보고, 단지 제285조제2항의 규정에 따라 '정당한 이유 없이 거절할 수 없는' 청구권이라고 해석해야 한다고 주장합니다(지원림, 2013). 어떤 견해가 타당한 것인지는 스스로 한번 생각해 보시길 바랍니다.

그럼 이런 경우는 어떨까요? 지상권설정계약에 따른 기간이 만료되어, 지상권자가 제283조제1항에 따라 지상권설정자에게 계약갱신을 청구했다고 해봅시다.

이런 경우 지상권설정자는 바로 제285조제2항으로 넘어가서 바로 "갱신은 안돼. 하지만 내가 너의 건물을 돈 주고 사겠다." 이렇게 할 수도 있습니다. 즉, 지상권자의 계약갱신 요구를 거절하고 바로 지상물의 매수를 청구할 수 있다고 보는 것입니다(박동진, 2022).

오늘은 지상권자의 수거의무와 지상권설정자의 매수청구권에 대하여 알아보았습니다. 내일은 지료증감청구권에 대해 공부하도록 하겠습니다.

*참고문헌

박동진, 「물권법강의(제2판)」, 법문사, 2022, 319면.

지원림, 「민법강의(제11판)」, 홍문사, 2013, 680면.

제286조(지료증감청구권)

지료가 토지에 관한 조세 기타 부담의 증감이나 지가의 변동으로 인하여 상당하지 아니하게 된 때에는 당사자는 그 증감을 청구할 수 있다.

지료, 소위 말해서 땅세의 경우 지상권에 있어서 필수 불가결한 요소는 아닙니다. 쉽게 생각해 서로 합의만 되면 무상으로도 지상권을 설정할 수 있다는 말입니다. 우리의 판례 역시 "지상권에 있어서 지료의 지급은 그의 요소가 아니어서 지료에 관한 유상 약정이 없는 이상 지료의 지급을 구할 수 없다."라고 하여(대법원 1999. 9. 3. 선고 99다24874 판결) 같은 입장이고요. 물론, 대다수의 경우에는 유상의 지상권을 설정할 것이라고 예상은 되지만요.

그런데 일단 유상으로 지상권을 설정하고 나면, 한 가지 문제가 생길 수 있습니다. 지상권은 일반적인 계약과 달리 1~2년이면 끝나는 것이 아니라 수십 년 동안 존속하게 됩니다. 처음에는 한 달에 1천만원 정도면 적절하다고 생각해서 땅세를 정했는데, 10년 동안 물가가 폭등하여 그 정도 돈으로는 지상권 설정자가 먹고 살기에도 빠듯해질 수도 있는 것입니다.

제286조는 이처럼 현실적으로 각자의 사정이 달라지는 경우에 지나친 불합리함이 발생하지 않도록 조정하기 위한 규정입니다. 세금 등 부담이 변화하고, 땅값이 변화하는 등 현실적인 사정이 바뀌

어 땅세가 '상당'하지 아니하게 된 경우 당사자는 땅세의 증감을 청구할 수 있다고 정하고 있습니다(지료증감청구권). 적정한 금액보다 너무 낮은 경우에는 (아마도 지상권 설정자가) '증가'를 청구할 수 있을 것이고, 적정한 금액보다 너무 높은 경우에는 (아마도 지상권자가) '감액'을 청구할 수 있을 것입니다.

우리의 학설은 제286조의 지료증감청구권을 형성권으로 해석하고 있습니다. 따라서 당사자의 일방적인 의사표시만으로 효력을 발생하게 됩니다.

"그러면 무한대로 땅세를 올려 달라고 해도 바로 효력을 발휘하겠네요? 내가 지상권설정자면 바로 땅세를 10배로 올려 버려야지." 이렇게 생각하실 수가 있는데, 그렇지는 않습니다.

예를 들어 1월 1일에 철수(지상권 설정자, 땅 주인)가 영희(지상권자)에게 땅세를 1천만원에서 2천만원으로 올려 달라고 했다고 합시다. 물론 현실적으로, 2배를 올려달라는데 바로 줄 사람이 있겠습니까? 영희가 이에 반발하여 소송을 제기하겠지요. 그러면 두 사람은 소송전을 벌이게 됩니다.

소송이 12월 1일에 최종적으로 판결이 났으며 법원은 "2천만원은 과하다. 1,500만원으로 해라."라고 결정을 해주었다고 합시다. 그러면 이렇게 법원에 의해 결정된 땅세는 12월 1일이 아니라 1월 1일부터 유효했던 것으로 소급 적용하게 됩니다. 또한, 법원의 결정이 나올 때까지(다툼이 깔끔히 정리될 때까지) 지상권자가 기존의 땅세 그대로 납입을 했다고 해도, 지료의 체납이라든지 하는 문제가 발생하지 않습니다(박동진, 2022).

그러니까 형성권이라고 해서 "내가 의사표시를 하는 순간 무슨 의사표시건 간에 상대방이 무조건 복종해야 하는 권리"라고 이해하시면 곤란합니다.

오늘은 지료증감청구권에 대해 알아보았습니다. 내일은 지상권의 소멸청구권에 대해 공부하도록 하겠습니다.

*참고문헌

박동진, 「물권법강의(제2판)」, 법문사, 2022, 316면.

제287조(지상권소멸청구권)

지상권자가 2년 이상의 지료를 지급하지 아니한 때에는 지상권설정자는 지상권의 소멸을 청구할 수 있다.

지상권도 영원불멸의 권리는 아닐진대 그럴 만한 이유가 있으면 소멸하게 됩니다. 예를 들어 엄청난 대지진으로 땅 자체가 소멸되어 버린다면 지상권도 소멸하겠지요. 물론 그건 매우 극단적인 상황입니다만… 아니면 보다 일반적인 사유로 지상권의 존속기간이 끝나고 연장(갱신) 같은 다른 사유가 발생하지 않는다면 지상권은 소멸할 것입니다. 그 외에도 우리는 '혼동'으로 인한 물권의 소멸에 대해서도 공부한 적이 있었는데, 기억이 가물가물하다면 한번 복습해 보시기 바랍니다(민법 제191조 부분 참고).

그런데 우리가 공부할 제287조의 경우 독특한 지상권의 소멸 사유를 하나 제시하고 있습니다. 바로 지상권자가 땅세를 2년 이상 내지 않았을 경우에 지상권설정자가 지상권의 소멸을 청구할 수 있다는 것입니다(지상권소멸청구권). 내기로 한 돈을 안 내고 버티는 사람을 그냥 내버려 둘 수는 없으니까, 상당히 합리적인 것으로 보이는 조문입니다.

학계의 다수설은 이 지상권소멸청구권을 형성권(계약해지의 성질을 갖는 것)으로 해석하고 있어서 지상권설정자의 (지상권자에 대한) 일방적인 의사표시에 의해서 행사된다고 봅니다. 반면, 채권적

청구권으로 보아서 당연히 등기를 쳐야 지상권이 소멸한다고 보는 반대 입장도 있지요.

그런데 형성권으로 보는 입장(다수설)이라고 해도 막상 지상권의 소멸에 대해서 말소등기까지 해야 지상권이 소멸하는 것인지, 말소등기가 없어도 지상권이 소멸하는 것인지에 대해서는 학자들의 의견이 갈립니다(김준호, 2017). 판례의 입장도 명확하지는 않고요. 사실 이 부분은 민법 제186조에 해당하느냐, 제187조에 해당하느냐의 문제인데요. 자세한 내용을 모두 설명드리기는 어렵고 관심 있는 분들은 따로 참고문헌을 읽어 보시길 추천드립니다.

그럼 다시 제287조로 돌아가 볼까요? 여기서 잠깐, 제287조에서 말하는 '2년 이상의 지료'라는 말이 해석이 좀 애매합니다.

예를 들어 이건 어떨까요? 지상권자가 땅세를 1년간(12개월째) 안 냈습니다. 화가 난 지상권설정자가 뭐라고 하니까, 지상권자가 13개월째에는 갑자기 땅세를 한 달치 냅니다. 그러고 나서 또 1년간을 연체해 버립니다. 그런 다음 지상권자가 이렇게 말하는 겁니다.

"민법 제287조에는 2년 이상의 지료를 내지 않았을 때라고 되어 있는데, 나는 2년을 연체한 것이 아니라 1년씩 2번을 연체하였다. 따라서 제287조에 해당하지 않고, 당신은 소멸청구권을 행사할 수 없다." 이렇게 해도 될까요?

법조문을 악용하려는 나쁜 의도가 보이는데 당연히 이렇게 해석하면 안 됩니다. 여기서 '2년 이상의 지료'라는 것은 연속적으로 2년 동안 지료를 연체하는 경우는 당연히 포함하고, 체납된 지료가 합쳐서 통산 2년분의 지료가 되는 경우에도 해당된다고 해석됩니다(김수일, 2019).

따라서 1개월 땅세가 100만원인데 2,400만원(2년분)의 땅세를 연체해 버렸다면 설령 2년을 연속으로 연체한 것이 아니라고 하더라도 제287조에 해당되게 되어 지상권설정자는 지상권소멸청구권을 행사할 수 있게 되는 것입니다.

다만 여기서 하나 살펴볼 것이 있습니다. 만약 중간에 땅 주인이 바뀌면 어떻게 될까요?

우리의 판례는 "민법 제287조가 토지소유자에게 지상권소멸청구권을 부여하고 있는 이유는 지상권은 성질상 그 존속기간 동안은 당연히 존속하는 것을 원칙으로 하는 것이나, 지상권자가 2년 이상의 지료를 연체하는 때에는 토지소유자로 하여금 지상권의 소멸을 청구할 수 있도록 함으로써 토지소유자의 이익을 보호하려는 취지에서 나온 것이라고 할 것이므로, 지상권자가 그 권리의 목적이 된 토지의 특정한 소유자에 대하여 2년분 이상의 지료를 지불하지 아니한 경우에 그 특정의 소유자는 선택에 따라 지상권의 소멸을 청구할 수 있으나, 지상권자의 지료 지급 연체가 토지소유권의 양도 전후에 걸쳐 이루어진 경우 토지양수인에 대한 연체기간이 2년이 되지 않는다면 양수인은 지상권소멸청구를 할 수 없다"라고 합니다(대법원 2001. 3. 13. 선고 99다17142 판결). 즉, 대법원은 연체 도중에 땅의 소유권이 바뀌는 경우에는 바뀐 새 주인을 기준으로 다시 2년의 연체가 있어야 한다는 입장이므로 주의할 필요가 있습니다. 물론, 땅 주인이 바뀌거나 하는 사정이 없다면 별 걱정 없이 제287조를 적용하면 됩니다.

반대로 그럼 지상권자가 바뀌는 경우는 어떨까요? 예전 지상권자가 연체했던 것을 이유로 지금의 지상권자에게 (지상권설정자가) 지상권소멸청구를 할 수 있는 걸까요? 학설은 지료에 관한 내용이 등기되었다면 가능하다는 견해와 바뀐 지상권자에게까지 그걸 요구하는 것은 무리라는 견해 등으로 갈리고 있습니다(박동진, 2022).

오늘은 지상권의 특별한 소멸사유와 지상권소멸청구권에 대해 알아보았습니다. 내일은 저당권자에 대한 통지를 공부해 보도록 하겠습니다.

*참고문헌

김용덕 편집대표, 「주석민법 물권3(제5판)」, 한국사법행정학회, 2019, 86면(김수일).

김준호, 민법강의, 법문사, 2017, 733면.

박동진, 「물권법강의(제2판)」, 법문사, 2022, 316면.

제288조(지상권소멸청구와 저당권자에 대한 통지)

지상권이 저당권의 목적인 때 또는 그 토지에 있는 건물, 수목이 저당권의 목적이 된 때에는 전조의 청구는 저당권자에게 통지한 후 상당한 기간이 경과함으로써 그 효력이 생긴다.

제288조는 좀 내용이 복잡한데요, 우선 대충 읽어 보면 제287조와 관련이 있는 조문 같고('전조의 청구'라는 표현이 있음), 뭔가 저당권과도 관계가 있어 보입니다. 그런데 '지상권이 저당권의 목적인 때' 같은 표현들은 무슨 의미인 걸까요?

우리가 대놓고(?) 공부한 적은 없지만, 지금껏 저당권에 대해서 자주 언급해 왔습니다. 저당권은 담보물권으로서, 부동산이나 부동산 물권을 담보로 하여 채권자가 다른 채권자보다 우선적으로 변제를 받을 수 있는 권리라고 할 수 있습니다(민법 제356조). 용익물권인 지상권과는 다른 형태의 물권입니다(담보물권).

제356조(저당권의 내용) 저당권자는 채무자 또는 제삼자가 점유를 이전하지 아니하고 채무의 담보로 제공한 부동산에 대하여 다른 채권자보다 자기채권의 우선변제를 받을 권리가 있다.

예를 들면, 돈이 없는 철수가 부자인 영희를 찾아가, "나 돈 좀 빌려줘."라고 하면, 영희는 "내가 뭘 믿고 너에게 돈을 빌려주냐. 너 사

는 집 있으니 그걸로 담보 내놔라." 이렇게 주장하는 것입니다.

그러면 영희는 철수의 집(부동산)에 저당권을 가진 저당권자가 되고, 철수는 저당권설정자가 되며, 대신 철수는 영희에게 돈을 좀 빌릴 수 있는 것입니다. 이제 철수의 집은 영희에게 '저당 잡힌' 것이 되는 셈입니다.

만약 철수가 영희에게 빌린 돈을 갚지 않으면, 영희는 철수의 집을 경매에 넘겨서 팔아 버리고 그 매각대금으로 자신의 빈 지갑을 채울 수 있게 됩니다(구체적인 경매 절차 등에 대해서는 저당권 파트에서 다루도록 하겠습니다).

그래서 보통 저당권이라고 하면 그 '목적'이 되는 것은 부동산이라고 생각합니다. 그런데 부동산만큼 흔하지는 않지만 부동산 외에도 저당 잡힐 수 있는 것들이 있습니다. 그 중 하나가 바로 '지상권' 입니다. 누구 마음대로 이게 되냐, 민법에 가능하다고 아예 규정되어 있습니다(민법 제371조).

제371조(지상권, 전세권을 목적으로 하는 저당권) ①본장의 규정은 지상권 또는 전세권을 저당권의 목적으로 한 경우에 준용한다.
②지상권 또는 전세권을 목적으로 저당권을 설정한 자는 저당권자의 동의없이 지상권 또는 전세권을 소멸하게 하는 행위를 하지 못한다.

눈에 보이는 부동산도 아니고, '지상권'을 담보로 해서 돈을 빌린

다는 것이 조금 이상하다고 생각하실 수도 있습니다만, 지상권 역시 분명히 값어치가 있는 권리(부동산물권)로서 이를 담보로 돈을 빌릴 수 있는 것으로 민법은 규정하고 있습니다. 땅 자체를 저당 잡혀서 돈을 빌리는 것과 땅을 쓸 수 있는 권리를 저당 잡혀서 돈을 빌리는 것의 차이점을 주의하세요.

어쨌건 저당권의 목적이 지상권 그 자체이거나, 땅 위에 있는 건물·수목인 경우에는 우리가 어제 공부한 제287조의 지상권소멸청구권이 누군가에게 피해를 끼칠 수 있습니다.

한번 생각해 볼까요? 자, 여기 땅이 하나 있고요, 땅 주인은 '김토지'입니다. 그리고 이 땅 위에 건물을 가진 소유자는 '최건물'이며, 최건물은 김토지와 지상권설정계약을 하고 지상권을 갖고 있다고 합시다.

그런데 최건물의 집안 사정이 좀 안 좋아져서, 최건물은 자신이 가진 지상권을 저당 잡히고 '나부자'로부터 1억원을 빌렸다고 합시다. 나부자는 바로 지상권을 목적으로 하는 저당권을 가진 셈이 됩니다. 문제는 최건물이 가난해진 바람에, 김토지에게 주어야 할 땅세를 2년간 연체하고 말았다는 것입니다.

땅주인 김토지는 땅세를 내지 않는 최건물에게 분노해서, 민법 제287조에 따라 지상권소멸청구권을 행사하였습니다. 그리고 어느 날 아무것도 모르고 평화롭게 낮잠을 자고 있던 나부자는 전화를 한

통 받는 겁니다. 아래는 그냥 가상의 대화입니다.

"경찰인데요, 최건물이 가진 돈을 모두 들고 야반도주했습니다."

"아니, 그 사람 아직 나한테 1억원을 안 갚았는데요! 하지만 다행이군요. 지상권에 담보를 걸어 두었으니 그걸로라도 채권을 좀 회수해야겠습니다."

"글쎄요. 안됐지만 며칠 전에 그 땅 주인인 김토지 씨가 지상권소멸청구권을 행사했다고 하네요. 당신의 담보 목적인 지상권은 이미 이 세상에 없습니다."

"...?"

이렇게 되면 나부자 입장에서는 미칠 노릇이 됩니다. 이 사례에서 지상권이 아니라 땅 위의 건물(부동산)에 저당을 잡은 것이라고 해도 문제는 문제입니다. 어쨌거나 건물은 있긴 한데, '지상권은 이미 소멸하고 없는' 건물이어서 그 가치가 현저하게 떨어지는 것은 마찬가지입니다. 어떤 경우건 나부자는 예측하지 못한 피해를 보게 됩니다.

그래서 우리 민법에서는 나부자와 같은 피해자가 최대한 덜 발생하도록, 최소한 제287조에 따른 소멸청구권을 행사할 때에는 저당권자에게 먼저 통지를 해주고, 그러고 나서 어느 정도 시간이 지나야 소멸청구권의 효력이 발생하는 것으로 정하고 있는 것입니다.

물론 통지 하나 받았다고 모든 문제가 해결되는 것은 아니지만, 최소한 나부자는 어느 정도 시간을 갖고 변호사와 상담을 받는다든지, 최건물에게 채권을 어떻게든 추심하든지 방법을 찾아볼 수 있게 됩니다. 낮잠 자다가 날벼락 맞는 것과는 하늘과 땅 차이죠.

오늘은 지상권소멸청구권을 행사할 때 저당권자에게 통지하도록 하는 규정을 살펴보았습니다. 내일은 지상권 파트에서의 강행규정을 공부해 보도록 하겠습니다.

제289조(강행규정)

제280조 내지 제287조의 규정에 위반되는 계약으로 지상권자에게 불리한 것은 그 효력이 없다.

우리는 예전에 강행규정의 개념에 대해 알아본 적 있었습니다. 보통 강행규정을 공부할 때 함께 보는 개념이 바로 임의규정인데, 민법 제105조에서 그 흔적을 찾아볼 수 있습니다. 그리고 민법 총칙 파트를 공부할 때에 자주 등장하던 개념이 바로 강행규정이기도 합니다.

제105조(임의규정) 법률행위의 당사자가 법령 중의 선량한 풍속 기타 사회질서에 관계없는 규정과 다른 의사를 표시한 때에는 그 의사에 의한다.

복습하자면, 제105조에 따르면 임의규정이란 선량한 풍속이나 기타 사회질서와 관계없는 규정이므로 당사자의 의사에 따라 그 적용을 배제할 수 있는 규정인 것입니다. 반대로 해석하면, 강행규정이란 선량한 풍속 및 기타 사회질서와 관계있는 규정으로서, 당사자가 마음대로 배제할 수 없는 규정이라고 할 수 있습니다.

다만, 강행규정이라는 것이 도대체 구체적으로는 어디서 어디까지를 의미하는 것인지에 대해서는 학계에서도 의견이 갈립니다. 여

기서 잠깐 하나 더 공부할 게 있습니다. '강행규정'과 헷갈리는 개념으로 '효력규정'과 '단속규정'이라는 것이 있는데요, 효력규정이란 그에 반하는 행위의 사법상 효과가 부정되는 것이고, 단속규정이란 그 규정을 위반한 행위라고 해도 사법상 효과에는 문제가 있는 것이 아니지만 벌칙을 받게 되는 것을 말합니다(김준호, 2017).

그런데 각각의 개념에 대한 상세한 설명은 학자에 따라서 다소 견해가 나뉩니다. 분류하자면, ①법에서 하지 말라고 되어 있고 위반하면 그 법률행위의 효력까지 부인하는 규정, ②법에서 하지 말라고 되어 있고, 위반하면 그 법률행위의 효력도 무효가 되며, 추가로 형사처벌이나 행정제재까지 가해지는 규정, ③법에서 하지 말라고 되어 있기는 하지만 위반해도 그 법률행위의 효력에는 영향이 없고, 다만 형사처벌이나 행정제재는 가해지는 규정, 이렇게 3가지 종류가 있다고 할 것입니다.

①~③ 전부가 강행규정인 것이고 그 하위 개념으로 효력규정과 단속규정이 있는 것인지, 아니면 강행규정과 단속규정은 서로 개념상 달라 겹쳐지는 부분이 없는 것인지, 학자에 따라 꽤 견해가 엇갈립니다(이동진, 2019). 상세한 설명은 참고문헌을 참조해 주십시오. 어쨌거나 여기서는, 최대한 단순화해서 설명을 드리도록 하겠습니다.

예를 들어 '부동산 거래신고 등에 관한 법률'에서는 땅 투기가 극심하거나 뭔가 문제가 있는 지역에 대해서 구역을 정하고, 그 구역

내의 토지는 거래할 때 허가를 받도록 규정하고 있습니다. 그리고 그러한 허가를 받지 않고 맺은 계약은 효력이 없는 것으로 한다고 규정하고 있는데, 이런 것이 바로 효력규정의 사례라고 볼 수 있을 것입니다.

판례 역시 "국토이용관리법상의 규제구역 내의 '토지등의 거래계약' 허가에 관한 관계규정의 내용과 그 입법취지에 비추어 볼 때 토지의 소유권 등 권리를 이전 또는 설정하는 내용의 거래계약은 관할 관청의 허가를 받아야만 그 효력이 발생하고 허가를 받기 전에는 물권적 효력은 물론 채권적 효력도 발생하지 아니하여 무효라고 보아야 할 것"이라고 하여(대법원 1991. 12. 24. 선고 90다12243 전원합의체 판결), 같은 입장입니다

*동 판례에서는 국토이용관리법으로 되어 있는데, 과거에는 토지거래 허가에 관한 규정이 국토이용관리법에 들어가 있었습니다. 이후 부동산 거래신고법이 개정되면서 이쪽으로 규정이 옮겨왔습니다.

부동산 거래신고 등에 관한 법률
제11조(허가구역 내 토지거래에 대한 허가) ① 허가구역에 있는 토지에 관한 소유권 · 지상권(소유권 · 지상권의 취득을 목적으로 하는 권리를 포함한다)을 이전하거나 설정(대가를 받고 이전하거나 설정하는 경우만 해당한다)하는 계약(예약을 포함한다. 이하 "토지거래계약"이라 한다)을 체결하려는 당사자는 공동으로 대통령령으로 정하는 바에 따라 시장 · 군수 또는 구청장의 허가를 받아야 한다. 허가받은 사항을 변경하려는 경우에도 또한 같다.

⑥ 제1항에 따른 허가를 받지 아니하고 체결한 토지거래계약은 그 효력이 발생하지 아니한다.

또한, 2024년 기준 「민간임대주택에 관한 특별법」에 따르면 임대사업자가 민간임대주택에 대한 임대차계약을 체결하려고 할 때에는 표준임대차계약서를 사용하도록 하고 있고, 이를 위반하는 경우에는 1천만원 이하의 과태료를 부과하도록 규정하고 있습니다.

민간임대주택에 관한 특별법
제47조(표준임대차계약서) ① 임대사업자가 민간임대주택에 대한 임대차계약을 체결하려는 경우에는 국토교통부령으로 정하는 표준임대차계약서를 사용하여야 한다.
제67조(과태료)
② 다음 각 호의 어느 하나에 해당하는 자에게는 1천만원 이하의 과태료를 부과한다.
6. 제47조에 따른 표준임대차계약서를 사용하지 아니한 임대사업자

이렇게만 보면 마치 표준임대차계약서를 안 쓰고 체결한 임대차계약은 무효가 되어야 할 것만 같지만, 이러한 규정에 위반한다고 해도, (과태료는 당연히 맞겠지만) 계약 자체가 무효가 되는 것은 아닙니다. 판례 역시 같은 입장입니다(대법원 2000. 10. 10. 선고 2000다32055,32062 판결). 이것이 바로 단속규정입니다.

*위 판결 당시에는 '임대주택법'으로 규정되어 있었음

이처럼 우리의 법제에는 "해야 한다", "~해서는 안된다." 혹은 "~하면 처벌한다."와 같은 규정들이 있지만, 그런 규정이 있다고 해서 반드시 그에 위반한 법률행위의 효력까지 무효가 된다고 해석하면 안 됩니다. 왜냐하면 그 규정이 단속규정일 수도 있기 때문입니다. 법 공부를 하는 분들이 주의하여야 하는 대목입니다.

이제 드디어 제289조로 돌아올까요? 제289조는 제280조부터 제287조까지의 규정에 위반하여 지상권자에게 불리한 것은 효력이 없다고 정하고 있습니다. 이는 민법이 지상권자를 보호하기 위한 규정을 두고 있는 것인데요, 바꿔 말하면 계약할 때 지상권 '설정자'에게 불리한 것은 제289조에 해당하지 않게 됩니다.

예를 들어 우리가 공부했던 조문 중 제283조의 매수청구권의 경우 지상권자를 보호하기 위한 대표적인 규정입니다. 그런데 만약 땅 주인과 지상권 설정계약을 체결하면서, 땅 주인이 "지상권이 소멸할 때 지상권자의 매수청구권은 없는 것으로 하자."라고 강요해서 결국 그 내용대로 계약을 했다고 합시다. 당사자 간에 서로 합의를 했다고 하더라도, 그러한 특약은 제289조에 의해서 무효가 되는 것입니다.

제283조(지상권자의 갱신청구권, 매수청구권) ①지상권이 소멸한 경우에 건물 기타 공작물이나 수목이 현존한 때에는 지상권자는 계약의 갱신을 청구할 수 있다.
②지상권설정자가 계약의 갱신을 원하지 아니하는 때에는 지상권자는 상당한 가액으로 전항의 공작물이나 수목의 매수를 청구할 수 있다.

오늘은 지상권 파트에서의 강행규정에 대해 알아보고, 그 김에 강행규정과 효력규정, 단속규정 등 중요한 개념들에 대해 살펴보았습니다. 복잡한 내용인데 고생이 많으셨고요, 내일은 구분지상권에 대해 공부하도록 하겠습니다.

*참고문헌

김용덕 편집대표, 「주석민법 총칙2(제5판)」, 한국사법행정학회, 2019, 531-532면(이동진).

김준호, 「민법강의(제23판)」, 법문사, 2017, 230면.

제289조의2(구분지상권)

①지하 또는 지상의 공간은 상하의 범위를 정하여 건물 기타 공작물을 소유하기 위한 지상권의 목적으로 할 수 있다. 이 경우 설정행위로써 지상권의 행사를 위하여 토지의 사용을 제한할 수 있다.
②제1항의 규정에 의한 구분지상권은 제3자가 토지를 사용·수익할 권리를 가진 때에도 그 권리자 및 그 권리를 목적으로 하는 권리를 가진 자 전원의 승낙이 있으면 이를 설정할 수 있다. 이 경우 토지를 사용·수익할 권리를 가진 제3자는 그 지상권의 행사를 방해하여서는 아니된다.

오늘은 독특한 개념을 하나 공부하도록 하겠습니다. 바로 구분지상권이라는 개념인데요, 일단 지상권이라고 붙어 있으니까, 무슨 지상권의 일종이라는 것은 눈치챌 수 있습니다. 이건 무슨 지상권일까요?

자, 원칙적으로 지상권이 미치는 범위는 땅 표면의 위-아래 전부입니다(이름이 '지상'권이라고 땅 위에만 효력이 미치는 것은 아닙니다). 지상권을 가진 사람은 그 땅의 아주 높은 부분까지 사용할 수 있는 권리가 있는 겁니다. 또는 아주 깊은 부분까지요. 그런데 민법이 제정되고 나서 우리나라가 발전하면서 이처럼 '무제한'의 지상권이 오히려 비효율적인 사례가 나타나기 시작했습니다.

예를 들어 철수가 땅 주인인데, 민수가 찾아와 이렇게 말합니다.

"철수 씨, 당신의 땅 위에 고압 송전선을 지나가게 하고 싶습니다. 제게 지상권을 준다면, 땅세를 섭섭하지 않게 쳐주겠습니다."

철수는 귀가 솔깃합니다. 그런데 이번에는 영희가 찾아와 이렇게 말합니다.

"철수 씨, 그러지 말고 제게 지상권을 설정해 주세요. 저는 지하철을 만들 생각인데, 땅세를 많이 쳐주겠습니다."

철수는 매우 고민이 됩니다. 그런데 이런 경우에 만약 지상과 지하를 나누어(구분하여) 지상권을 따로 설정할 수 있다면, 철수의 고민은 해결될뿐더러 한정된 땅을 더 효율적으로 쓸 수 있는 길이 될 것입니다. 민수에게는 땅 위의 이용권을, 영희에게는 땅 아래의 이용권을 주는 겁니다. 그러면 땅은 같은데, 민수와 영희 모두 그 땅을 쓸 수 있게 되는 것입니다.

이처럼 토지의 이용을 효율적으로 하기 위하여 1984년 민법 개정을 통해 조문이 탄생하였는데, 그것이 바로 구분지상권입니다. 구분지상권이란, 건물이나 공작물 등을 소유하기 위하여 남의 땅을 쓸 때, 그 땅의 지상 또는 지하에 일정한 상하의 범위를 정해서 사용할 수 있도록 하는 권리를 말합니다(제289조의2제1항 전단).

대체로 터널이나 지하철, 송전선 같은 경우에 구분지상권이 자주 사용됩니다. 다만, 수목의 경우에는 땅에 박혀 있는 것이어서 사실상 수목의 소유를 목적으로 구분지상권을 설정하기는 어렵다고 보

아야 할 것입니다.

일반적인 지상권과 비교하자면, 차이점은 다음과 같습니다. 먼저 일반 지상권은 건물, 기타 공작물, 수목의 소유를 위해 설정되지만, 구분지상권은 제289조의2에 따르면 건물과 기타 공작물의 소유를 위해서만 설정 가능합니다. 수목은 안 됩니다. 그리고 일반지상권은 토지의 상하 모든 층을 객체로 인정되는 것이지만, 구분지상권은 토지의 특정한 어떤 층에만 효력이 미치는 것입니다(박동진, 2022).

대체로 터널이나 지하철, 송전선 같은 경우에 구분지상권이 자주 사용됩니다. 예를 들면 아래와 같이 등기를 하는 것입니다. 다만, 수목의 경우에는 땅에 박혀 있는 것이어서 사실상 수목의 소유를 목적으로 구분지상권을 설정하기는 어렵다고 보아야 할 것입니다.

【을 구】 소유권 이외의 권리에 관한 사항				
순위번호	등기목적	접수	등기원인	권리자 및 기타사항
1	지상권설정	2022년 5월 1일 제1222호	2022년 5월 1일 설정계약	목 적 송전선의 소유 범 위 토지의 동서간 X-Y 지점을 포함한 수평을 기준으로 평균해수면 위 18m 이상 32m 미만의 공간 존속기간 송전선이 존속하는

				기간 지 료 2,000,000원정 지상권자 주식회사 A 123456-1234567

등기예규에 의하면, 구분지상권이란 건물 또는 공작물 등을 소유하기 위하여 타인 소유 토지의 일정범위의 지하 또는 공간을 사용하는 권리로서의 지상권을 뜻하고, 이러한 구분지상권은 그 권리가 미치는 지하 또는 공간의 상하의 범위를 정하여 등기할 수 있다고 합니다(등기예규 제1040호).

또한 지하 또는 공간의 상하의 범위는 평균 해면 또는 지상권을 설정하는 토지의 특정지점을 포함한 수평면을 기준으로 하여 이를 명백히 하도록 규정하고 있습니다. 예를 들어, "범위, 평균 해면위 100미터로부터 150미터 사이" 또는 "범위, 토지의 동남쪽 끝 지점을 포함한 수평면을 기준으로 하여 지하 20미터로부터 50미터 사이" 등으로 기재하는 것입니다(아래 참고문헌 등기예규 발췌). 대충 여기서 저기까지라는 식으로 적을 수는 없다는 것이지요.

그런데 제289조의2제2항은 무슨 말일까요? 우선 대충 읽어보니, 구분지상권은 제3자가 토지를 사용 · 수익할 권리를 가진 때에도 어떻게 어떻게 뭔가 요건이 맞으면 설정할 수 있다는 것 같습니다. 제3자가 토지를 사용하거나 수익할 권리라는 것은 예를 들어 임차권이나 지상권 같은 것을 생각해 볼 수 있을 것입니다.

위의 사례를 다시 한번 생각해 봅시다. 위의 사례에서 철수의 땅에는 이미 그 땅을 빌려 쓰고 있는 임차인, 나임차라는 사람이 있다고 해봅시다. 이 경우 나임차는 제289조의2제2항에서 말하는 '토지를 사용·수익할 권리를 가진 제3자'라고 할 수 있을 것입니다. 바로 그런 상황에서 철수는 민수에게 자신의 땅 위를 지나는 고압 송전선을 설치할 수 있는 권리, 구분지상권을 주고 싶어 한다고 가정합시다.

*대항력이 없는 임차권자의 승낙도 필요한 것인지는 학설의 대립이 있기에 여기서는 편의상 등기된 임차권이라고 가정합니다.

나임차의 입장에서는 굉장히 열 받는 일이 될 수 있습니다. 자기가 이미 철수의 땅을 빌려서 정당하게 돈을 내고 쓰고 있는데, 민수가 갑자기 그 위에 고압 송전선을 설치하게 된다면 왠지 건강에도 안 좋을 것 같고, 농사도 잘 안될 것 같거든요. 그래서 이러한 경우에 제289조의2제2항은 구분지상권을 설정하기 위해서는 나임차에게 동의를 받아야 하도록 정하고 있는 것입니다.

제2항에 따르면 '전원'의 승낙이 필요하므로, 임차인이나 지상권자, 그리고 그 지상권 등을 목적으로 설정된 저당권자('그 권리를 목적으로 하는 권리를 가진 자')가 여러 명 존재하는 경우 그 모두에게 승낙을 받아야 합니다. 1명이라도 반대하는 사람이 있으면, 구분지

상권은 설정할 수 없습니다. 철수에게는 조금 짜증나는 얘기가 될 수 있겠네요.

한편, 제2항 후단에 따르면 일단 승낙을 해줘서 구분지상권이 설정된 후에는, 나임차는 그 구분지상권의 행사를 방해해서는 안됩니다. 당연한 것이겠죠. 나임차가 보상금을 받고 민수에게 고압 송전선을 설치해도 된다고 했다가, 막상 송전선이 들어오니까 설치행위를 방해한다거나 해서는 안 되는 것입니다.

오늘은 구분지상권의 개념과 설정 방법 등에 대하여 살펴보았습니다. 새로운 개념이어서 약간 내용이 많았지만, 지금까지 공부한 내용을 바탕으로 천천히 읽어 보시면 충분히 이해하실 수 있을 것입니다. 내일은 준용규정에 대해 알아보도록 하겠습니다.

*참고문헌

구분지상권에 관한 등기처리요령 개정 2001. 11. 19. [등기예규 제1040호, 시행], 종합법률정보 규칙.

박동진, 「물권법강의(제2판)」, 법문사, 2019, 320면.

제290조(준용규정)

①제213조, 제214조, 제216조 내지 제244조의 규정은 지상권자간 또는 지상권자와 인지소유자간에 이를 준용한다.
②제280조 내지 제289조 및 제1항의 규정은 제289조의2의 규정에 의한 구분지상권에 관하여 이를 준용한다.

우리는 준용의 개념에 대해서 [민법 총칙]에서 공부하였던 바 있습니다. 알고 계시다는 전제 하에 말씀드리도록 하겠습니다. 제290조는 준용규정에 대해서 정리하고 있는 조문입니다. 먼저 제1항을 보면, 제213조, 제214조, 제214조와 제216조부터 제244조까지의 조문들을 지상권자 간 또는 지상권자-인지소유자 사이에 이를 준용한다고 되어 있습니다.

조문이 너무 많으니까 여기 다 실을 수는 없고, 몇 개만 보여드리고 대략적으로 어떤 내용들인지 살펴보겠습니다. 제213조와 제214조는 각각 소유물반환청구권 및 소유물방해제거청구권, 방해예방청구권에 관한 조문입니다.

제213조(소유물반환청구권) 소유자는 그 소유에 속한 물건을 점유한 자에 대하여 반환을 청구할 수 있다. 그러나 점유자가 그 물건을 점유할 권리가 있는 때에는 반환을 거부할 수 있다.
제214조(소유물방해제거, 방해예방청구권) 소유자는 소유권을 방해하는 자에 대하여 방해의 제거를 청구할 수 있고 소유권을 방해할 염려

있는 행위를 하는 자에 대하여 그 예방이나 손해배상의 담보를 청구할 수 있다.

제216조부터 제244조까지의 규정은 우리가 오랫동안 공부했던 상린관계에 관한 규정으로, 이웃한 땅의 사용청구권(인지사용청구권)(제216조), 수도나 가스관 등의 시설권(제218조), 주위토지통행권(제219조), 여수소통권(제226조) 등에 관한 내용들입니다. 기억이 나시나요?

제1항은 이러한 규정들이 지상권자와 지상권자 사이에, 그리고 지상권자와 이웃한 땅의 소유자 간에 준용된다고 말하고 있습니다. 먼저 물권적 청구권(소유물 반환청구권, 방해제거청구권, 방해예방청구권)의 경우 원래 조문만 보았을 때에는 당연히 소유권을 가진 자에게 적용되는 규정이지만, 제290조제1항에 의해서 지상권자도 이러한 조문을 준용할 수 있게 됩니다.

무슨 의미인지 예를 들어 살펴보겠습니다. 나부자의 땅에 지상권을 얻어 사용하고 있는 철수가 있다고 합시다. 지상권자인 철수는 당연히 그 토지를 점유할 권리도 있다고 하겠지요. 그런데 어떤 사람이 갑자기 나타나 철수가 사용하고 있는 땅에 불법으로 시설물을 설치해 버립니다. 철수는 지상권을 행사해야 하는데, 불법 시설물 때문에 그러지 못하고 있습니다.

이런 경우 철수는 민법 제290조의 존재 덕택에 지상권에 기한 방해제거청구권을 행사할 수 있으므로, 불법 시설물을 설치한 사람에게 시설물을 제거할 것을 요구할 수 있는 것입니다. 물론 제290조에서는 '지상권자 사이에' 준용된다고 되어 있지만, 해석상 당연히 (사례에서와 같이) 지상권자와 제3자 간에도 준용된다고 보는 것이 타당할 것입니다(박재윤, 1992). 왜냐하면 법조문에 명시적으로 말이 없다고 제3자에게는 준용되지 않는다고 해버리면 현실적으로 제290조의 의미가 굉장히 퇴색될 것이기 때문입니다.

그런데 만약 이 사례에서 철수가 아닌 나부자(땅 주인)가 방해배제청구 같은 물권적 청구권을 행사할 수 있을까요? 그것도 가능합니다.

우리의 판례는 "무릇 토지소유권은 그 토지에 대한 지상권설정이 있어도 이로 인하여 그 권리의 전부 또는 일부가 소멸하는 것도 아니고 단지 지상권의 범위에서 그 권리행사가 제한되는 것에 불과하며, 일단 지상권이 소멸되면 토지소유권은 다시 자동적으로 완전한 제한없는 권리로 회복되는 법리라 할 것이므로 소유자가 그 소유토지에 대하여 지상권을 설정하여도 그 소유자는 그 토지를 불법으로 점유하는 자에게 대하여 방해배제를 구할 수 있는 물권적청구권이 있다고 해석함이 상당"하다고 보아 소유권자도 방해배제청구가 가능하다고 보고 있습니다(대법원 1974. 11. 12. 선고 74다1150 판결). 다만, 같은 판결에서 소유권자의 '방해배제청구'가 아닌 '손해배상청구'는 안된다고 하였으므로, 주의하시기 바랍니다. 구체적인 의미가 궁금한 분들은 판례의 원문을 검색하여 읽어 보시면 되겠습니다.

제290조제1항에서 상린관계에 관한 규정(제216조부터 제244조까지)을 준용하는 것도 의미가 있습니다. 지상권자는 당연히 그 토지를 이용하게 될 텐데, 그 과정에서 이웃한 땅의 주인과 트러블이 발생할 수 있을 겁니다. 그런 상황에서 이웃한 땅과 관련된 민법의 규정들을 준용할 수 있다면, 지상권자와 이웃한 땅의 소유자(인지소유자) 간 법률관계를 조율하는 데 도움이 될 겁니다.

제2항을 봅시다. 제2항에서는 제280조부터 제289조까지의 규정, 그리고 제290조제1항이 구분지상권에 대해서도 준용된다고 합니다. 제280조부터 제289조까지의 규정은 우리가 한참 동안 공부했던 지상권에 관련된 내용으로, 지상권의 존속기간(제280조), 존속기간을 약정하지 아니한 경우(제281조), 지상권의 양도와 임대(제282조), 지상권소멸청구권(제287조), 강행규정(제289조) 등에 관한 것입니다. 구분지상권도 통상의 지상권과 거의 비슷한 성질을 지니고 있으므로, 이러한 규정들을 준용하는 것이 의미가 있겠지요.

또한, 구분지상권자 역시 어쨌건 땅을 이용하는 사람으로서 그 권리의 행사에 방해가 있거나 할 때에는 물권적 청구권을 사용할 필요가 있으므로, 제290조제1항을 준용하는 것이 의미가 있을 것입니다. 다만, 구분지상권의 개념에 대해서는 제289조의2를 따로 두고 있기 때문에, 지상권의 개념에 관한 제279조를 굳이 가져다 쓸 필요는 없으므로 제279조는 준용규정에서 빠져 있습니다.

오늘은 지상권의 준용규정에 대해서도 알아보았습니다. 준용규정은 공부하다 보면 그냥 대충 읽고 지나가는 경우가 많은데 현실에서는 중요하게 작동되는 예가 많기 때문에 꼼꼼히 보고 넘어가시기를 추천드립니다. 이제 지상권을 마치고, 다음 권부터는 지역권에 대해 공부하도록 하겠습니다.

*참고로 법학 교과서에서 지상권 파트에서 필히 다루는 분묘기지권과 관습상 법정지상권의 경우, 여기서는 다루지 않도록 하겠습니다. 관습상 법정지상권은 나중에 다른 법정지상권과 관련하여 한번 다룰 것이어서 언급하지 않는 것입니다. 분묘기지권의 경우, 관심 있는 분들은 따로 교과서를 읽어보시길 추천드립니다.

*참고문헌

곽윤직 편집대표, 「민법주해Ⅳ 물권3」, 박영사, 1992, 97면(박재윤); 김용덕 편집대표, 「주석민법 물권3(제5판)」, 한국사법행정학회, 2019, 107면(김수일)에서 재인용.

"본서가 독자 여러분의
좋은 기억으로
남기를 기원합니다.
감사합니다."